La Femme Au Collier Velours

Alexandre Dumas

La Femme Au Collier De Velours

CHAPITRE I

L'arsenal.

Le 4 décembre 1846, mon bâtiment étant à l'ancre depuis la veille dans la baie de Tunis, je me réveillai vers cinq heures du matin avec une de ces impressions de profonde mélancolie qui font, pour tout un jour, l'œil humide et la poitrine gonflée.

Cette impression venait d'un rêve.

Je sautai en bas de mon cadre, je passai un pantalon à pieds, je montai sur le pont, et je regardai en face et autour de moi.

J'espérais que le merveilleux passage qui se déroulait sous mes yeux allait distraire mon esprit de cette préoccupation, d'autant plus obstinée qu'elle avait une cause moins réelle.

J'avais devant moi, à une portée de fusil, la jetée qui s'étendait du fort de la Goulette au fort de l'Arsenal, laissant un étroit passage aux bâtiments qui veulent pénétrer du golfe dans le lac. Ce lac, aux eaux bleues comme l'azur du ciel qu'elles réfléchissaient, était tout agité, dans certains endroits, par les battements d'ailes d'une troupe de cygnes, tandis que, sur des pieux plantés de distance en distance pour indiquer des bas-fonds, se tenait immobile, pareil à ces oiseaux qu'on sculpte sur les sépulcres, un cormoran qui, tout à coup, se laissait tomber à la surface de l'eau avec un poisson au travers du bec, avalait ce poisson, remontait sur son pieu, et reprenait sa taciturne immobilité jusqu'à ce qu'un nouveau poisson, passant à sa portée, sollicitât son appétit, et, l'emportant sur sa paresse, le fit disparaître de nouveau pour reparaître encore.

Et pendant ce temps, de cinq minutes en cinq minutes, l'air était rayé par une file de flamants dont les ailes de pourpre se détachaient sur le blanc mat de leur plumage, et, formant un dessin carré, semblaient un jeu de cartes composé d'as de carreau seulement, et volant sur une seule ligne.

À l'horizon était Tunis, c'est-à-dire un amas de maisons carrées, sans fenêtres, sans ouvertures, montant en amphithéâtre, blanches comme de la craie et se détachant sur le ciel avec une netteté singulière. À gauche s'élevaient, comme une immense muraille à créneaux, les montagnes de Plomb, dont le nom indique la teinte sombre; à leur pied rampaient le marabout et le village des Sidi-Fathallah; à droite on distinguait le tombeau de saint Louis et la place où fut Carthage, deux des plus grands souvenirs qu'il y ait dans l'histoire du monde. Derrière nous se balançait à l'ancre le *Montézuma*, magnifique frégate à vapeur de la force de quatre cent cinquante chevaux.

Certes, il y avait bien là de quoi distraire l'imagination la plus préoccupée. À la vue de toutes ces richesses, on eût oublié la veille, le jour et le lendemain. Mais mon esprit était, à dix ans de là, fixé obstinément sur une seule pensée qu'un rêve avait clouée dans mon cerveau.

Mon œil devint fixe. Tout ce splendide panorama s'effaça peu à peu dans la vacuité de mon regard. Bientôt je ne vis plus rien de ce qui existait. La réalité disparut; puis, au milieu de ce vide nuageux, comme sous la baguette d'une fée, se dessina un salon aux lambris blancs, dans l'enfoncement duquel, assise devant un piano où ses doigts erraient négligemment, se tenait une femme inspirée et pensive à la fois, une muse et une sainte. Je reconnus cette femme, et je murmurai comme si elle eût pu m'entendre:

—Je vous salue, Marie, pleine de grâces, mon esprit est avec vous.

Puis, n'essayant plus de résister à cet ange aux ailes blanches qui, me ramenant aux jours de ma jeunesse, et comme une vision charmante, me montrait cette chaste figure de jeune fille, de jeune femme et de mère, je me laissai emporter au courant de ce fleuve qu'on appelle la mémoire, et qui remonte le passé au lieu de descendre vers l'avenir.

Alors je fus pris de ce sentiment si égoïste, et par conséquent si naturel à l'homme, qui le pousse à ne point garder sa pensée à lui seul, à doubler l'étendue de ses sensations en les communiquant, et à verser enfin dans une autre âme la liqueur douce ou amère qui remplit son âme.

Je pris une plume et j'écrivis:

«À bord du *Véloce*, en vue de Carthage et de Tunis, le 4 décembre 1846.

«Madame,

«En ouvrant une lettre datée de Carthage et de Tunis, vous vous demanderez qui peut vous écrire d'un pareil endroit, et vous espérerez recevoir un autographe de Régulus ou de Louis IX. Hélas! madame, celui qui met de si loin son humble souvenir à vos pieds n'est ni un héros ni un saint, et s'il a jamais eu quelque ressemblance avec l'évêque d'Hippone, dont il y a trois jours il visitait le tombeau, ce n'est qu'à la première partie de la vie de ce grand homme que cette ressemblance peut être applicable. Il est vrai que, comme lui, il peut racheter cette première partie de la vie par la seconde. Mais il est déjà bien tard, pour faire pénitence, et selon toute probabilité, il mourra comme il a vécu, n'osant pas même laisser après lui ses confessions, qui, à la rigueur, peuvent se laisser raconter, mais qui ne peuvent guère se lire.

«Vous avez déjà couru à la signature, n'est-ce pas, madame, et vous savez à qui vous avez affaire; de sorte que maintenant vous vous demandez comment, entre ce magnifique lac qui est le tombeau d'une ville et le pauvre monument qui est le sépulcre d'un roi, l'auteur des *Mousquetaires* et de *Monte-Cristo* a songé à vous écrire, à vous justement, quand à Paris, à votre porte, il demeure quelquefois un an tout entier sans aller vous voir.

«D'abord, madame, Paris est Paris, c'est-à-dire une espèce de tourbillon où l'on perd la mémoire de toutes choses, au milieu du bruit que fait le monde en courant et la terre en tournant. À Paris, voyez-vous, je vais comme le monde et comme la terre; je cours et je retourne, sans compter que, lorsque je ne tourne ni ne cours, j'écris. Mais alors, madame, c'est autre chose, et, quand j'écris, je ne suis déjà plus si séparé de vous que vous le pensez, car vous êtes une de ces rares personnes pour lesquelles j'écris, et il est bien extraordinaire que je ne me dise pas lorsque j'achève un chapitre dont je suis content ou un livre qui est bien venu: Marie Nodier, cet esprit rare et charmant, lira cela; et je suis fier, madame, car j'espère qu'après que vous aurez lu ce que je viens d'écrire, je grandirai peut-être encore de quelques lignes dans votre pensée.

«Tant il y a, madame, pour en revenir à ma pensée, que cette nuit j'ai rêvé, je n'ose pas dire à vous, mais de vous, oubliant la houle qui balançait un gigantesque bâtiment à vapeur que le gouvernement me prête, et sur lequel je donne l'hospitalité à un de vos amis et à un de vos admirateurs, à Boulanger et à mon fils, sans compter Giraud, Maquet, Chancel et Desbarolles, qui se rangent au nombre de vos connaissances; tant il y a, disais-je, que je me suis endormi sans songer à rien, et comme je suis presque dans le pays des Mille et Une Nuits, un génie m'a visité et m'a fait entrer dans un rêve dont vous avez été la reine. Le lieu où il m'a conduit, ou plutôt ramené, madame, était bien mieux qu'un palais, était bien mieux qu'un royaume; c'était cette bonne et excellente maison de l'Arsenal au temps de sa joie et de son bonheur, quand notre bien-aimé Charles en faisait les honneurs avec toute la franchise de l'hospitalité antique, et notre bien respectée Marie avec toute la grâce de l'hospitalité moderne.

«Ah! croyez bien, madame, qu'en écrivant ces lignes, je viens de laisser échapper un bon gros soupir. Ce temps a été un heureux temps pour moi. Votre esprit charmant en donnait à tout le monde, et quelquefois, j'ose le dire, à moi plus qu'à tout autre. Vous voyez que c'est un sentiment égoïste qui me rapproche de vous. J'empruntais quelque chose à votre adorable gaieté, comme le caillou du poète Saadi empruntait une part du parfum de la rose.

«Vous rappelez-vous le costume d'archer de Paul? vous rappelez-vous les souliers jaunes de Francisque Michel? vous rappelez-vous mon fils en débardeur? vous rappelez-vous cet enfoncement où était le piano et où vous chantiez *Lazzara*, cette merveilleuse mélodie, que vous m'avez promise et que, soit dit sans reproches, vous ne m'avez jamais donnée?

«Oh! puisque je fais appel à vos souvenirs, allons plus loin encore: vous rappelez-vous Fontaney et Alfred Johannot, ces deux figures voilées qui restaient toujours tristes au milieu de nos rires, car il y a dans les hommes qui doivent mourir jeunes un vague pressentiment du tombeau? Vous rappelez-vous Taylor, assis dans un coin, immobile, muet et rêvant dans quel voyage nouveau il pourra enrichir la France d'un tableau espagnol, d'un bas-relief grec ou d'un obélisque égyptien? Vous rappelez-vous de Vigny, qui, à cette époque, doutait peut-être de sa transfiguration et daignait encore se mêler à la foule des hommes? Vous rappelez-vous Lamartine, debout devant la cheminée, et laissant rouler jusqu'à vos pieds l'harmonie de ses beaux vers? Vous rappelez-vous Hugo le regardant et l'écoutant comme Étéocle devait regarder et écouter Polynice, seul parmi nous avec le sourire de l'égalité sur les lèvres, tandis que madame Hugo, jouant avec ses beaux cheveux, se tenait à demi couchée sur le canapé, comme fatiguée de la part de gloire qu'elle porte?

«Puis, au milieu de tout cela, votre mère, si simple, si bonne, si douce; votre tante, madame de Tercy, si spirituelle et si bienveillante; Dauzats, si fantasque, si hâbleur, si verbeux; Barye, si isolé au milieu du bruit, que sa pensée semble toujours envoyée par son corps à la recherche d'une des sept merveilles du monde; Boulanger, aujourd'hui si mélancolique, demain si joyeux, toujours si grand peintre, toujours si grand poète, toujours si bon ami dans sa gaieté comme dans sa tristesse; puis enfin cette petite fille se glissant entre les poètes, les peintres, les musiciens, les grands hommes, les gens d'esprit et les savants, cette petite fille que je prenais dans le creux de ma main et que je vous offrais comme une statuette de Barre ou de Pradier? Oh! mon Dieu! qu'est devenu tout cela, madame?

«Le seigneur a soufflé sur la clef de voûte, et l'édifice magique s'est écroulé, et ceux qui le peuplaient se sont enfuis, et tout est désert à cette même place où tout était vivant, épanoui, florissant.

«Fontaney et Alfred Johannot sont morts, Taylor a renoncé aux voyages, de Vigny s'est fait invisible, Lamartine est député, Hugo pair de France, et Boulanger, mon fils et moi sommes à Carthage d'où je vous vois, madame, en poussant ce bon gros soupir dont je vous parlais tout à l'heure, et malgré le vent qui emporte comme un nuage la fumée mouvante de notre bâtiment, ne rattrapera jamais ces chers souvenirs que le temps aux ailes sombres entraîne silencieusement dans la brume grisâtre du passé.

«Ô printemps, jeunesse de l'année! ô jeunesse, printemps de la vie!

«Eh bien! voilà le monde évanoui qu'un rêve m'a rendu, cette nuit, aussi brillant, aussi visible, mais en même temps, hélas! aussi impalpable que ces atomes qui dansent au milieu d'un rayon de soleil infiltré dans une chambre sombre par l'ouverture d'un contrevent entrebâillé.

«Et maintenant, madame, vous ne vous étonnez plus de cette lettre, n'est-ce pas? Le présent chavirerait sans cesse s'il n'était maintenu en équilibre par le poids de l'espérance et le contrepoids des souvenirs, et malheureusement ou heureusement peut-être, je suis de ceux chez lesquels les souvenirs l'emportent sur les espérances.

«Maintenant parlons d'autre chose; car il est permis d'être triste, mais à la condition qu'on n'embrunira pas les autres de sa tristesse. Que fait mon ami Boniface? Ah! j'ai, il y a huit ou dix jours, visité une ville qui lui vaudra bien des pensums quand il la trouvera son nom dans le livre de ce méchant usurier qu'on nomme Salluste. Cette ville, c'est Constantine, la vieille Cirta, merveille bâtie en haut d'un rocher, sans doute par une race d'animaux fantastiques ayant des ailes d'aigle et des mains d'homme comme Hérodote et Levaillant, ces deux grands voyageurs, en ont vu.

«Puis, nous avons passé un peu à Utique et beaucoup à Bizerte. Giraud a fait dans cette dernière ville le portrait d'un notaire turc, et Boulanger de son maître clerc. Je vous les envoie, madame, afin que vous puissiez les comparer aux notaires et aux maîtres clercs de Paris. Je doute que d'avantage reste à ces derniers.

«Moi, j'y suis tombé à l'eau en chassant les flamants et les cygnes, accident qui, dans la Seine, gelée probablement à cette heure, aurait pu avoir des suites fâcheuses, mais qui, dans le lac de Caton, n'a eu d'autre inconvénient que de me faire prendre un bain tout habillé, et cela au grand étonnement d'Alexandre, de Giraud et du gouverneur de la ville, qui du haut d'une terrasse suivaient notre barque des yeux, et qui ne pouvaient comprendre un événement qu'ils attribuaient à un acte de ma fantaisie et qui n'était que la perte de mon centre de gravité.

«Je m'en suis tiré comme les cormorans dont je vous parlais tout à l'heure, madame; comme eux j'ai disparu, comme eux je suis revenu sur l'eau! seulement, je n'avais pas, comme eux, un poisson dans le bec.

«Cinq minutes après je n'y pensais plus, et j'étais sec comme M. Valéry, tant le soleil a mis de complaisance à me caresser.

«Oh! je voudrais, partout où vous êtes, madame, conduire un rayon de ce beau soleil, ne fût-ce que pour faire éclore sur votre fenêtre une touffe de myosotis.

«Adieu, madame; pardonnez-moi cette longue lettre; je ne suis pas coutumier de la chose, et, comme l'enfant qui se défendait d'avoir fait le monde, je vous promets que je ne le ferai plus; mais aussi pourquoi le concierge du ciel a-t-il laissé ouverte cette porte d'ivoire par laquelle sortent les songes dorés?

«Veuillez agréer, madame, l'hommage de mes sentiments les plus respectueux. «ALEXANDRE DUMAS.

«Je serre bien cordialement la main de Jules.»

Maintenant, à quel propos cette lettre tout intime? C'est que, pour raconter à mes lecteurs l'histoire de la femme au collier de velours, il me fallait leur ouvrir les portes de l'Arsenal, c'est-à-dire de la demeure de Charles Nodier.

Et maintenant que cette porte m'est ouverte par la main de sa fille, et que par conséquent nous sommes sûrs d'être les bienvenus, «Qui m'aime me suive».

À l'extrémité de Paris, faisant suite au quai des Célestins, adossé à la rue Morland, et dominant la rivière, s'élève un grand bâtiment sombre et triste d'aspect nommé l'Arsenal.

Une partie du terrain sur lequel s'étend cette lourde bâtisse s'appelait, avant le creusement des fossés de la ville, le Champ-au-Plâtre. Paris, un jour qu'il se préparait à la guerre, acheta le champ et fit construire des granges pour y placer son artillerie.

Vers 1533, François Ier s'aperçut qu'il manquait de canons et eut l'idée d'en faire fondre. Il emprunta donc une de ces granges à sa bonne ville, avec promesse bien entendu de la rendre dès que la fonte serait achevée; puis, sous prétexte d'accélérer le travail, il en emprunta une seconde, puis une troisième, toujours avec la même promesse; puis, en vertu du proverbe qui dit que ce qui est bon à prendre est bon à garder il garda sans façon les trois granges empruntées.

Vingt ans après, le feu prit à une vingtaine de milliers de poudre qui s'y trouvaient enfermés. L'explosion fut terrible; Paris trembla comme tremble Catane les jours où Encelade se remue. Des pierres furent lancées jusqu'au bout du faubourg Saint-Marceau; les roulements de ce terrible tonnerre allèrent ébranler Melun. Les maisons du voisinage oscillèrent un instant, comme si elles étaient ivres, puis s'affaissèrent sur elles-mêmes. Les poissons périrent dans la rivière, tués par cette commotion inattendue; enfin, trente personnes, enlevées par l'ouragan de flammes, retombèrent en lambeaux: cent cinquante furent blessées. D'où venait ce sinistre? Quelle était la cause de ce malheur? On l'ignora toujours: et, en vertu de cette ignorance, on l'attribua aux protestants.

Charles IX fit reconstruire sur un plus vaste plan les bâtiments détruits. C'était un bâtisseur que Charles IX: il faisait sculpter le Louvre, tailler la fontaine des Innocents par Jean Goujon, qui y fut tué, comme chacun sait, par une balle perdue. Il eût certainement mis fin à tout, le grand artiste et le grand poète, si Dieu, qui avait certains comptes à lui demander à propos du 24 août 1572, ne l'eût rappelé.

Ses successeurs reprirent les constructions où il les avait laissées, et les continuèrent. Henri III fit sculpter, en 1584, la porte qui fait face au quai des Célestins: elle était accompagnée de colonnes en forme de canons et sur la table de marbre qui la surmontait, on lisait ce distique de Nicolas Bourbon, que Santeuil demandait à acheter au prix de la potence:

Aetna   hic   Henrico   vulcania   tela   minestrat.
Tela giganteos debellatura furores.

Ce qui veut dire en français:

«L'Etna prépare ici les traits avec lesquels Henri doit foudroyer la fureur des géants.»

Et, en effet, après avoir foudroyé les géants de la Ligue, Henri planta ce beau jardin qu'on y voit sur les cartes du temps de Louis XIII, tandis que Sully y établissait son ministère et faisait peindre et dorer les beaux salons qui font encore aujourd'hui la bibliothèque de l'Arsenal.

En 1823, Charles Nodier fut appelé à la direction de cette bibliothèque, et quitta la rue de Choiseul, où il demeurait, pour s'établir dans son nouveau logement.

C'était un homme adorable que Nodier; sans un vice, mais plein de défauts, de ces défauts charmants qui font l'originalité de l'homme de génie, prodigue, insouciant, flâneur, flâneur comme Figaro était paresseux! avec délices.

Nodier savait à peu près tout ce qu'il était donné à l'homme de savoir; d'ailleurs, Nodier avait le privilège de l'homme de génie; quand il ne savait pas il inventait, et ce qu'il inventait était bien autrement ingénieux, bien autrement coloré, bien autrement probable que la réalité.

D'ailleurs, plein de systèmes, paradoxal, avec enthousiasme, mais pas le moins du monde propagandiste, c'était pour lui-même que Nodier était paradoxal, c'était pour lui seul que Nodier se défaisait des systèmes; ses systèmes adoptés, ses paradoxes reconnus, il en eût changé, et s'en fût immédiatement fait d'autres.

Nodier était l'homme de Térence, à qui rien d'humain n'est étranger. Il aimait pour le bonheur d'aimer: il aimait comme le soleil luit, comme l'eau murmure, comme la fleur parfume. Tout ce qui était bon, tout ce qui était beau, tout ce qui était grand lui était sympathique; dans le mauvais même, il cherchait ce qu'il y avait de bon, comme dans la plante vénéneuse, le chimiste, du sein du poison même, tire un remède salutaire.

Combien de fois Nodier avait-il aimé? c'est ce qu'il lui eût été impossible de dire à lui-même; d'ailleurs, le grand poète qu'il était! il confondait toujours le rêve avec la réalité. Nodier avait caressé avec tant d'amour les fantaisies de son imagination, qu'il avait fini par croire à leur existence. Pour lui, *Thérèse Aubert*, la *Fée aux miettes*, *Inès de las Sierras*, avaient existé. C'étaient ses filles, comme Marie; c'étaient les sœurs de Marie; seulement, madame Nodier n'avait été pour rien dans leur création; comme Jupiter, Nodier avait tiré toutes ces Minerves-là de son cerveau.

Mais ce n'étaient pas seulement des créatures humaines, ce n'étaient pas seulement des filles d'Ève et des fils d'Adam que Nodier animait, de son souffle créateur. Nodier avait inventé un animal, il l'avait baptisé. Puis, il l'avait de sa propre autorité, sans s'inquiéter de ce que Dieu en dirait, doté de la vie éternelle.

Cet animal c'était le taratantaleo.

Vous ne connaissez pas le taratantaleo, n'est-ce pas? ni moi non plus; mais Nodier le connaissait, lui; Nodier le savait par cœur. Il vous racontait les mœurs, les habitudes, les caprices du taratantaleo. Il vous eût raconté ses amours si, du moment où il s'était aperçu que le taratantaleo portait en lui le principe de la vie éternelle, il ne l'eût condamné au célibat, la reproduction étant inutile là où existe la résurrection.

Comment Nodier avait-il découvert le taratantaleo?

Je vais vous le dire.

À dix-huit ans, Nodier s'occupait d'entomologie. La vie de Nodier s'est divisée en six phases différentes:

D'abord, il fit de l'histoire naturelle: la *Bibliographie entomologique*;

Puis de la linguistique: le *Dictionnaire des Onomatopées*;

Puis de la politique: la *Napoléone*;

Puis de la philosophie religieuse: les *Méditations du cloître*;

Puis des poésies: les *Essais d'un jeune barde*;

Puis du roman: *Jean Sbogar, Smarra, Trilby*, le *Peintre de Salzbourg, Mademoiselle de Marsan, Adèle*, le *Vampire*, le *Songe d'or*, les *Souvenirs de Jeunesse*, le *Roi de Bohême et ses sept châteaux*, les *Fantaisies du docteur Néophobus*, et mille choses charmantes encore que vous connaissez, que je connais, et dont le nom ne se retrouve pas sous ma plume.

Nodier en était donc à la première phase de ses travaux; Nodier s'occupait d'entomologie, Nodier demeurait au sixième,—un étage plus haut que Béranger ne loge le poète. Il faisait des expériences au microscope sur les infiniment petits, et, bien avant Raspail, il avait découvert tout un monde d'animalcules invisibles. Un jour, après avoir soumis à l'examen l'eau, le vin, le vinaigre, le fromage, le pain, tous les objets enfin sur lesquels on fait habituellement des expériences, il prit un peu de sable mouillé dans la gouttière, et le posa dans la cage de son microscope, puis il appliqua son œil sur la lentille.

Alors il vit se mouvoir un animal étrange, ayant la forme d'un vélocipède, armé de deux roues qu'il agitait rapidement. Avait-il une rivière à traverser? ses roues lui servaient comme celles d'un bateau à vapeur; avait-il un terrain sec à franchir? ses roues lui servaient comme celles d'un cabriolet. Nodier le regarda, le détailla, le dessina, l'analysa si longtemps, qu'il se souvint tout à coup qu'il oubliait un rendez-vous, et qu'il se sauva, laissant là son microscope, sa pincée de sable, et le taratantaleo dont elle était le monde.

Quand Nodier rentra, il était tard; il était fatigué, il se coucha, et dormit comme on dort à dix-huit ans. Ce fut donc le lendemain seulement, en ouvrant les yeux, qu'il pensa à la pincée de sable, au microscope et au taratantaleo.

Hélas! pendant la nuit le sable avait séché, et le pauvre taratantaleo, qui sans doute avait besoin d'humidité pour vivre, était mort, son petit cadavre était couché sur le côté, ses roues étaient immobiles. Le bateau à vapeur n'allait plus, le vélocipède était arrêté.

Mais, tout mort qu'il était, l'animal n'en était pas moins une curieuse variété des éphémères, et son cadavre méritait d'être conservé aussi bien que celui d'un mammouth ou d'un mastodonte; seulement, il fallait prendre, on le comprend, des précautions bien autrement grandes pour manier un animal cent fois plus petit qu'un citron, qu'il n'en faut prendre pour changer de place un animal dix fois gros comme un éléphant.

Ce fut donc avec la barbe d'une plume que Nodier transporta sa pincée de sable de la cage de son microscope dans une petite boîte de carton, destinée à devenir le sépulcre du taratantaleo.

Il se promettait de faire voir ce cadavre au premier savant qui se hasarderait à monter ses six étages.

Il y a tant de choses auxquelles on pense à dix-huit ans, qu'il est bien permis d'oublier le cadavre d'un éphémère. Nodier oublia pendant trois mois, dix mois, un an peut-être, le cadavre du taratantaleo.

Puis, un jour, la boîte lui tomba sous la main. Il voulut voir quel changement un an avait produit sur son animal. Le temps était couvert, il tombait une grosse pluie d'orage. Pour mieux voir, il approcha le microscope de la fenêtre, et vida dans la cage le contenu de la petite boîte.

Le cadavre était toujours immobile et couché sur le sable; seulement le temps, qui a tant de prise sur les colosses, semblait avoir oublié l'infiniment petit.

Nodier regardait donc son éphémère, quand tout à coup une goutte de pluie, chassée par le vent, tombe dans la cage du microscope et humecte la pincée de sable.

Alors, au contact de cette fraîcheur vivifiante, il semble à Nodier que son taratantaleo se ranime, qu'il remue une antenne, puis l'autre; qu'il fait tourner une de ses roues, qu'il fait tourner ses deux roues, qu'il reprend son centre de gravité, que ses mouvements se régularisent, qu'il vit enfin.

Le miracle de la résurrection vient de s'accomplir, non pas au bout de trois jours, mais au bout d'un an.

Dix fois Nodier renouvela la même épreuve, dix fois le sable sécha et le taratantaleo mourut, dix fois le sable fut humecté et dix fois le taratantaleo ressuscita.

Ce n'était pas un éphémère que Nodier avait découvert, c'était un immortel, selon toute probabilité, son taratantaleo avait vu le Déluge et devait assister au Jugement dernier.

Malheureusement, un jour que Nodier, pour la vingtième fois peut-être, s'apprêtait à renouveler son expérience, un coup de vent emporta le sable séché, et, avec le sable, le cadavre du phénoménal taratantaleo.

Nodier reprit bien des pincées de sable mouillé sur sa gouttière et ailleurs, mais ce fut inutilement, jamais il ne retrouva l'équivalent de ce qu'il avait perdu: le taratantaleo était le seul de son espèce, et, perdu pour tous les hommes, il ne vivait plus que dans les souvenirs de Nodier.

Mais aussi là vivait-il de manière à ne jamais s'en effacer.

Nous avons parlé des défauts de Nodier; son défaut dominant, aux yeux de madame Nodier du moins, c'était sa bibliomanie; ce défaut, qui faisait le bonheur de Nodier, faisait le désespoir de sa femme.

C'est que tout l'argent que Nodier gagnait passait en livres.

Combien de fois Nodier, sorti pour aller chercher deux ou trois cents francs absolument nécessaires à la maison, rentra-t-il avec un volume rare, avec un exemplaire unique!

L'argent était resté chez Techener ou Guillemot.

Madame Nodier voulait gronder; mais Nodier tirait son volume de sa poche, il l'ouvrait, le fermait, le caressait, montrait à sa femme une faute d'impression qui faisait l'authenticité du livre, et cela tout en disant:

—Songe donc, ma bonne amie, que je retrouverai trois cents francs, tandis qu'un pareil livre, hum! un pareil livre, hum! un pareil livre est introuvable; demande plutôt à Pixérécourt.

Pixérécourt, c'était la grande admiration de Nodier, qui a toujours adoré le mélodrame. Nodier appelait Pixérécourt le Corneille des boulevards.

Presque tous les matins, Pixérécourt venait rendre visite à Nodier.

Le matin, chez Nodier, était consacré aux visites des bibliophiles. C'était là que se réunissaient le marquis de Ganay, le marquis de Château-Giron, le marquis de Chalabre, le comte de Labédoyère, Bérard, l'homme des Elzévirs, qui, dans ses moments perdus, refit la Charte de 1830; le bibliophile Jacob, le savant Weiss de Besançon, l'universel Peignot de Dijon; enfin les savants étrangers qui, aussitôt leur arrivée à Paris, se faisaient présenter ou se présentaient seuls à ce cénacle, dont la réputation était européenne.

Là on consultait Nodier, l'oracle de la réunion; là on lui montrait des livres; là on lui demandait des notes: c'était sa distraction favorite. Quant aux savants de l'Institut, ils ne venaient guère à ces réunions; ils voyaient Nodier avec jalousie. Nodier associait l'esprit et la poésie à l'érudition, et c'était un tort que l'Académie des sciences ne pardonne pas plus que l'Académie française.

Puis Nodier raillait souvent, Nodier mordait quelquefois. Un jour il avait fait *le Roi de Bohême et ses sept châteaux*; cette fois-là, il avait emporté la pièce. On crut Nodier à tout jamais brouillé avec l'Institut. Pas du tout; l'Académie de Tombouctou fit entrer Nodier à l'Académie française.

On se doit quelque chose entre sœurs.

Après deux ou trois heures d'un travail toujours facile; après avoir couvert dix ou douze pages de papier de six pouces de haut sur quatre de large, à peu près d'une écriture lisible, régulière, sans rature aucune, Nodier sortait.

Une fois sorti, Nodier rôdait à l'aventure, suivant néanmoins presque toujours la ligne des quais, mais passant et repassant la rivière, selon la situation topographique des étalagistes; puis des étalagistes, il entrait dans les boutiques de libraires, et des boutiques de libraires dans les magasins de relieurs.

C'est que Nodier se connaissait non seulement en livres, mais en couvertures. Les chefs-d'œuvre de Gaseon sous Louis XIII, de Desseuil sous Louis XIV, de Pasdeloup sous Louis XV et de Derome sous Louis XV et Louis XVI, lui étaient si familiers, que, les yeux fermés, au simple toucher, il les connaissait. C'était Nodier qui avait fait revivre la reliure, qui, sous la Révolution et l'Empire, cessa d'être un art; c'est lui qui encouragea, qui dirigea les restaurateurs de cet art, le Thouvenin, les Bradel, les Niedrée, les Bozonnet et les Legrand. Thouvenin, mourant de la poitrine, se levait de son lit d'agonie pour jeter un dernier coup d'œil aux reliures qu'il faisait pour Nodier.

La course de Nodier aboutissait presque toujours chez Crozet ou Techener, ces deux beaux-frères réunis par la rivalité, et entre lesquels son placide génie venait s'interposer. Là, il y avait réunion de bibliophiles; là, on faisait des échanges; puis, dès que Nodier paraissait, c'était un cri; mais, dès qu'il ouvrait la bouche, silence absolu. Alors Nodier narrait, Nodier paradoxait *de omni rescibili et quibusdam aliis.*

Le soir, après le dîner de famille, Nodier travaillait d'ordinaire dans la salle à manger, entre trois bougies posées en triangle, jamais plus, jamais moins; nous avons dit sur quel papier et de quelle écriture, toujours avec des plumes d'oie. Nodier avait horreur des plumes de fer, comme, en général, de toutes les inventions nouvelles; le gaz le mettait en fureur, la vapeur l'exaspérait; il voyait la fin du monde infaillible et prochaine dans la destruction des forêts et dans l'épuisement des mines de houille. C'est dans ces fureurs contre le progrès de la civilisation que Nodier était resplendissant de verve et foudroyant d'entrain.

Vers neuf heures et demie du soir, Nodier sortait; cette fois, ce n'était plus la ligne des quais qu'il suivait, c'était celle des boulevards; il entrait à la Porte-Saint-Martin, à l'Ambigu ou aux Funambules, aux Funambules de préférence. C'est Nodier qui a divinisé Debureau; pour Nodier, il n'y avait que trois acteurs au monde: Debureau, Potier et Talma; Potier et Talma étaient morts, mais Debureau restait et consolait Nodier de la perte des deux autres.

Tous les dimanches, Nodier déjeunait chez Pixérécourt. Là, il retrouvait ses visiteurs: le bibliophile Jacob, roi tant que Nodier n'était pas là, vice-roi quand Nodier paraissait; le marquis de Ganay, le marquis de Chalabre.

Le marquis de Ganay, esprit changeant, amateur capricieux, amoureux d'un livre comme un roué du temps de la Régence était amoureux d'une femme, pour l'avoir; puis, quand il l'avait, fidèle un mois, non pas fidèle, enthousiaste, le portant sur lui, et arrêtant ses amis pour le leur montrer; le mettant sous son oreiller le soir, et se réveillant la nuit, rallumant sa bougie pour le regarder, mais ne le lisant jamais; toujours jaloux des livres de Pixérécourt, que Pixérécourt refusait de lui vendre à quelque prix que ce fût; se vengeant de son refus en achetant, à la vente de madame de Castellane, un autographe que Pixérécourt ambitionnait depuis dix ans.

—N'importe! disait Pixérécourt furieux, je l'aurai.

—Quoi? demandait le marquis de Ganay.

—Votre autographe.

—Et quand cela?

—À votre mort, parbleu!

Et Pixérécourt eût tenu sa parole si le marquis de Ganay n'eût jugé à propos de survivre à Pixérécourt.

Quant au marquis de Chalabre, il n'ambitionnait qu'une chose: c'était une Bible que personne n'eût, mais aussi il l'ambitionnait ardemment. Il tourmenta tant Nodier pour que Nodier lui indiquât un exemplaire unique, que Nodier finit par faire mieux encore que ne désirait le marquis de Chalabre: il lui indiqua un exemplaire qui n'existait pas.

Aussitôt le marquis de Chalabre se mit à la recherche de cet exemplaire.

Jamais Christophe Colomb ne mit plus d'acharnement à découvrir l'Amérique. Jamais Vasco de Gama ne mit plus de persistance à retrouver l'Inde que le marquis de Chalabre à poursuivre sa Bible. Mais l'Amérique existait entre le 70e degré de latitude nord et les 53e et 54e de latitude sud. Mais l'Inde gisait véritablement en deçà et au-delà du Gange, tandis que la Bible du marquis de Chalabre n'était située sous aucune latitude, ni ne gisait ni en deçà ni au-delà de la Seine. Il en résulta que Vasco de Gama retrouva l'Inde, que Christophe Colomb découvrit l'Amérique, mais que le marquis eut beau chercher, du nord au sud, de l'orient à l'occident, il ne trouva pas sa Bible.

Plus la Bible était introuvable, plus le marquis de Chalabre mettait d'ardeur à la trouver.

Il en avait offert cinq cents francs; il en avait offert mille francs; il en avait offert deux mille, quatre mille, dix mille francs. Tous les bibliographes étaient sens dessus dessous à l'endroit de cette malheureuse Bible. On écrivit en Allemagne et en Angleterre. Néant. Sur une note du marquis de Chalabre, on ne se serait pas donné tant de peine, et on eût simplement répondu: *Elle n'existe pas*. Mais, sur une note de Nodier, c'était autre chose. Si Nodier avait dit: «La Bible existe», incontestablement la Bible existait. Le pape pouvait se tromper; mais Nodier était infaillible.

Les recherches durèrent trois ans. Tous les dimanches, le marquis de Chalabre, en déjeunant avec Nodier chez Pixérécourt, lui disait:

—Eh bien! cette Bible, mon cher Charles....

—Eh bien?

—Introuvable!

—*Quoere et invenies*, répondait Nodier. Et, plein d'une nouvelle ardeur, le bibliomane se remettait à chercher, mais ne trouvait pas.

Enfin on apporta au marquis de Chalabre une Bible.

Ce n'était pas la Bible indiquée par Nodier, mais il n'y avait que la différence d'un an dans la date; elle n'était pas imprimée à Kehl mais elle était imprimée à Strasbourg, il n'y avait que la distance d'une lieue; elle n'était pas unique, il est vrai, mais le second exemplaire, le seul qui existât, était dans le Liban, au fond d'un monastère druse. Le marquis de Chalabre porta la Bible à Nodier et lui demanda son avis:

—Dame! répondit Nodier, qui voyait le marquis prêt à devenir fou s'il n'avait pas une Bible, prenez celle-là, mon cher ami, puisqu'il est impossible de trouver l'autre.

Le marquis de Chalabre acheta la Bible moyennant la somme de deux mille francs, la fit relier d'une façon splendide et la mit dans une cassette particulière.

Quand il mourut, le marquis de Chalabre laissa sa bibliothèque, à mademoiselle Mars, qui n'était rien moins que bibliomane, pria Merlin de classer les livres du défunt et d'en faire la vente. Merlin, le plus honnête homme de la terre, entra un jour chez mademoiselle Mars avec trente ou quarante mille francs de billets de banque à la main.

Il les avait trouvés dans une espèce de portefeuille pratiqué dans la magnifique reliure de cette Bible presque unique.

—Pourquoi, demandai-je à Nodier, avez-vous fait cette plaisanterie au pauvre marquis de Chalabre, vous si peu mystificateur?

—Parce qu'il se ruinait, mon ami, et que, pendant les trois ans qu'il a cherché sa Bible, il n'a pas pensé à autre chose; au bout de ces trois ans il a dépensé deux mille francs, pendant ces trois ans là il en eût dépensé cinquante mille.

Maintenant que nous avons montré notre bien-aimé Charles pendant la semaine et le dimanche matin, disons ce qu'il était le dimanche depuis six heures du soir jusqu'à minuit.

Comment avais-je connu Nodier?

Comme on connaissait Nodier. Il m'avait rendu un service. C'était en 1827, je venais d'achever *Christine*; je ne connaissais personne dans les ministères, personne au théâtre; mon administration, au lieu de m'être une aide pour arriver à la Comédie Française, m'était un empêchement. J'avais écrit, depuis deux ou trois jours, ce dernier vers, qui a été si fort sifflé et si fort applaudi:

«Eh bien... j'en ai pitié, mon père: qu'on l'achève!»

En dessous de ce vers, j'avais écrit le mot FIN: il ne me restait plus rien à faire que de lire ma pièce à messieurs les comédiens du roi et à être reçu ou refusé par eux.

Malheureusement, à cette époque, le gouvernement de la Comédie-Française était, comme le gouvernement de Venise, républicain, mais aristocratique, et n'arrivait pas qui voulait près des sérénissimes seigneurs du Comité.

Il y avait bien un examinateur chargé de lire les ouvrages des jeunes gens qui n'avaient encore rien fait, et qui, par conséquent, n'avaient droit à une lecture qu'après examen; mais il existait dans les traditions dramatiques de si lugubres histoires de manuscrits attendant leur tour de lecture pendant un ou deux ans, et même trois ans, que moi, familier du Dante et de Milton, je n'osais point affronter ces limbes, tremblant que ma pauvre*Christine* n'allât augmenter tout simplement le nombre de:

Questi sciaurati che mai non fur vivi.

J'avais entendu parler de Nodier comme protecteur-né de tout poète à naître. Je lui demandai un mot d'introduction près du baron Taylor. Il me l'envoya. Huit jours après j'avais lecture au Théâtre-Français, et j'étais à peu près reçu.

Je dis à peu près, parce qu'il y avait dans *Christine*, relativement au temps où nous vivions, c'est-à-dire à l'an de grâce 1827, de telles énormités littéraires, que messieurs les comédiens ordinaires du roi n'osèrent me recevoir d'emblée, et subordonnèrent leur opinion à celle de M. Picard, auteur de *la Petite Ville*.

M. Picard était un des oracles du temps.

Firmin me conduisit chez M. Picard. M. Picard me reçut dans une bibliothèque garnie de toutes les éditions de ses œuvres et ornée de son buste. Il prit mon manuscrit, me donna rendez-vous à huit jours, et nous congédia.

Au bout de huit jours, heure pour heure, je me présentai à la porte de M. Picard. M. Picard m'attendait évidemment; il me reçut avec le sourire de Rigobert dans *Maison à vendre*.

—Monsieur, me dit-il en me tendant mon manuscrit proprement roulé, avez-vous quelque moyen d'existence? Le début n'était pas encourageant.

—Oui, monsieur, répondis-je; j'ai une petite place chez monsieur le duc d'Orléans.

—Eh bien! mon enfant, fit-il en me mettant affectueusement mon rouleau entre les deux mains et en me prenant les mains du même coup, allez à votre bureau.

Et, enchanté d'avoir fait un mot, il se frotta les mains en m'indiquant du geste que l'audience était terminée.

Je n'en devais pas moins un remerciement à Nodier. Je me présentai à l'Arsenal. Nodier me reçut, comme il recevait, avec un sourire aussi.... Mais il y a sourire et sourire, comme dit Molière.

Peut-être oublierai-je un jour le sourire de Picard, mais je n'oublierai jamais celui de Nodier.

Je voulus prouver à Nodier que je n'étais pas tout à fait aussi indigne de sa protection qu'il eût pu le croire d'après la réponse que Picard m'avait faite. Je lui laissai mon manuscrit. Le lendemain, je reçus une lettre charmante, qui me rendait tout mon courage, et qui m'invitait aux soirées de l'Arsenal.

Ces soirées de l'Arsenal, c'était quelque chose de charmant, quelque chose qu'aucune plume ne rendra jamais.

Elles avaient lieu le dimanche, et commençaient en réalité à six heures.

À six heures, la table était mise. Il y avait des dîneurs de la fondation: Cailleux, Taylor, Francis Wey, que Nodier aimait comme un fils; puis, par hasard, un ou deux invités; puis qui voulait.

Une fois admis à cette charmante intimité de la maison, on allait dîner chez Nodier à son plaisir. Il y avait toujours deux ou trois couverts attendant les convives de hasard. Si ces trois couverts étaient insuffisants, on en ajoutait un quatrième, un cinquième, un sixième. S'il fallait allonger la table, on l'allongeait. Mais malheur à celui qui arrivait le treizième! Celui-là dînait impitoyablement à une petite table, à moins qu'un quatorzième ne vînt le relever de sa pénitence.

Nodier avait ses manies: il préférait le pain bis au pain blanc, l'étain à l'argenterie, la chandelle à la bougie.

Personne n'y faisait attention que madame Nodier, qui le servait à sa guise.

Au bout d'une année ou deux, j'étais un de ces intimes dont je parlais tout à l'heure. Je pouvais arriver sans prévenir, à l'heure du dîner; on me recevait avec des cris qui ne me laissaient pas de doute sur ma bienvenue, et l'on me mettait à table, ou plutôt je me mettais à table entre madame Nodier et Marie.

Au bout d'un certain temps, ce qui n'était qu'un point de fait devint un point de droit. Arrivais-je trop tard, était-on à table, ma place était-elle prise: on faisait un signe d'excuse au convive usurpateur, ma place m'était rendue, et, ma foi! se mettait où il pouvait celui que j'avais déplacé.

Nodier alors prétendait que j'étais une bonne fortune pour lui, en ce que je le dispensais de causer. Mais, si j'étais une bonne fortune pour lui, j'étais une mauvaise fortune pour les autres. Nodier était le plus charmant causeur qu'il y eût au monde. On avait beau faire à ma conversation tout ce qu'on fait à un feu pour qu'il flambe, l'éveiller, l'attiser, y jeter cette limaille qui fait jaillir les étincelles de l'esprit comme celles de la forge; c'était de la verve, c'était de l'entrain, c'était de la jeunesse; mais ce n'était point cette bonhomie, ce charme inexprimable, cette grâce infinie, où, comme dans un filet tendu, l'oiseleur prend tout, grands et petits oiseaux. Ce n'était pas Nodier.

C'était un pis-aller dont on se contentait, voilà tout.

Mais parfois je boudais, parfois je ne voulais pas parler, et, à mon refus de parler, il fallait bien, comme il était chez lui, que Nodier parlât; alors tout le monde écoutait, petits enfants et grandes personnes. C'était à la fois Walter Scott et Perrault, c'était le savant aux prises avec le poète, c'était la mémoire en lutte avec l'imagination. Non seulement alors Nodier était amusant à entendre, mais encore Nodier était charmant à voir. Son long corps efflanqué, ses longs bras maigres, ses longues mains pâles, son long visage plein d'une mélancolique bonté, tout cela s'harmonisait avec sa parole un peu traînante, que modulait sur certains tons ramenés périodiquement un accent franc-comtois que Nodier n'a jamais entièrement perdu. Oh! alors le récit était chose inépuisable, toujours nouvelle, jamais répétée. Le temps, l'espace, l'histoire, la nature, étaient pour Nodier cette bourse de Fortunatus d'où Pierre Schlemihl tirait ses mains toujours pleines. Il avait connu tout le monde. Danton, Charlotte Corday, Gustave III, Cagliostro, Pie VI, Catherine II, le grand Frédéric, que sais-je? Comme le comte de Saint-Germain et le taratantaleo, il avait assisté à la création du monde et traversé les siècles en se transformant. Il avait même, sur cette transformation, une théorie des plus ingénieuses, selon Nodier, les rêves n'étaient qu'un souvenir des jours écoulés dans une autre planète, une réminiscence de ce qui avait été jadis. Selon Nodier, les songes les plus fantastiques correspondaient à des faits accomplis autrefois dans Saturne, dans Vénus ou dans Mercure: les images les plus étranges n'étaient que l'ombre des formes qui avaient imprimé leurs souvenirs dans notre âme immortelle. En visitant pour la première fois le Musée fossile du Jardin des Plantes, il s'est écrié, retrouvant des animaux qu'il avait vus dans le déluge de Deucalion et de Pyrrha, et parfois il lui échappait d'avouer que, voyant la tendance des Templiers à la possession universelle, il avait donné à Jacques de Molay le conseil de maîtriser son ambition. Ce n'était pas sa faute si Jésus-Christ avait été crucifié; seul parmi ses auditeurs, il l'avait prévenu des mauvaises intentions de Pilate à son égard. C'était surtout le Juif errant que Nodier avait eu l'occasion de rencontrer: la première fois à Rome du temps de Grégoire VII; la seconde fois à Paris, la veille de la Saint-Barthélemy, et la dernière fois à Vienne en Dauphiné, et sur lequel il avait des documents les plus précieux. Et à ce propos il relevait une erreur dans laquelle étaient tombés les savants et les poètes, et particulièrement Edgar Quinet: ce n'était pas Ahasvérus, qui est un nom moitié grec moitié latin, que s'appelait l'homme aux cinq sous, c'était Isaac Laquedem: de cela il pouvait en répondre, il tenait le renseignement de sa propre bouche. Puis de la politique, de la philosophie, de la tradition, il passait à l'histoire naturelle. Oh! comme dans cette scène Nodier distançait Hérodote, Pline, Marco Polo, Buffon et Lacépède! Il avait connu des araignées près desquelles l'araignée de Pélisson n'était qu'une drôlesse; il avait fréquenté des crapauds près desquels Mathusalem n'était qu'un enfant; enfin il avait été en relation avec des caïmans près desquels la tarasque n'était qu'un lézard.

Aussi il tombait à Nodier de ces hasards comme il n'en tombe qu'aux hommes de génie. Un jour qu'il cherchait des lépidoptères, c'était pendant son séjour en Styrie, pays des roches granitiques et des arbres séculaires, il monta contre un arbre afin d'atteindre une cavité qu'il apercevait, fourra sa main dans cette cavité, comme il avait l'habitude de le faire, et cela assez imprudemment, car un jour il retira d'une cavité pareille son bras enrichi d'un serpent qui s'était enroulé à l'entour; un jour donc qu'ayant trouvé une cavité il fourrait sa main dans cette cavité, il sentit quelque chose de flasque, et de gluant qui cédait à la pression de ses doigts. Il ramena vivement sa main à lui, et regarda: deux yeux brillaient d'un feu terne au fond de cette cavité. Nodier croyait au diable; aussi, en voyant ces deux yeux qui ne ressemblaient pas mal aux yeux de braise de Charon, comme dit Dante, Nodier commença par s'enfuir, puis il réfléchit, se ravisa, prit une hachette, et, mesurant la profondeur du trou, il commença de faire une ouverture à l'endroit où il présumait que devait se trouver cet objet inconnu. Au cinquième ou sixième coup de hache qu'il frappa, le sang coula de l'arbre, ni plus ni moins que, sous l'épée de Tancrède, le sang coula de la forêt enchantée du Tasse. Mais ce ne fut pas une belle guerrière qui lui apparut, ce fut un énorme crapaud encastré dans l'arbre où, sans doute, il avait été emporté par le vent quand il était de la taille d'une abeille. Depuis combien de temps était-il là? Depuis deux cents ans, trois cents ans, cinq cents ans peut-être. Il avait cinq pouces de long sur trois de large.

Une autre fois, c'était en Normandie, du temps où il faisait avec Taylor le voyage pittoresque de la France: il entra dans une église à la voûte de cette église étaient suspendus une gigantesque araignée et un énorme crapaud. Il s'adressa à un paysan pour demander des renseignements sur ce singulier couple.

Et voici ce que le vieux paysan lui raconta, après l'avoir mené près d'une des dalles de l'église sur laquelle était sculpté un chevalier couché dans son armure.

Ce chevalier était un ancien baron, lequel avait laissé dans le pays de si méchants souvenirs, que les plus hardis se détournaient afin de ne pas mettre le pied sur sa tombe, et cela, non point par respect, mais par terreur. Au-dessus de cette tombe, à la suite d'un vœu fait par ce chevalier à son lit de mort, une lampe devait brûler nuit et jour, une pieuse fondation ayant été faite par le mort qui subvenait à cette dépense et bien au-delà.

Un beau jour, ou plutôt une belle nuit, pendant laquelle, par hasard, le curé ne dormait pas, il vit de la fenêtre de sa chambre, qui donnait sur celle de l'église, la lampe pâlir et s'éteindre. Il attribua la chose à un accident et n'y fit pas cette nuit une grande attention.

Mais, la nuit suivante, s'étant réveillé vers les deux heures du matin, l'idée lui vint de s'assurer si la lampe brûlait. Il descendit de son lit, s'approcha de la fenêtre, et constata *de visu* que l'église était plongée dans la plus profonde obscurité.

Cet événement, reproduit deux fois en quarante-huit heures, prenait une certaine gravité. Le lendemain, au point du jour, le curé fit venir le bedeau, et l'accusa tout simplement d'avoir mis l'huile dans sa salade au lieu de l'avoir mise dans la lampe. Le bedeau jura ses grands dieux qu'il n'en était rien; que tous les soirs, depuis quinze ans qu'il avait l'honneur d'être bedeau, il remplissait consciencieusement la lampe, et qu'il fallait que ce fût un tour de ce méchant chevalier qui, après avoir tourmenté les vivants pendant sa vie, recommençait à les tourmenter trois cents ans après sa mort.

Le curé déclara qu'il se fiait parfaitement à la parole du bedeau, mais qu'il n'en désirait pas moins assister le soir au remplissage de la lampe; en conséquence, à la nuit tombante, en présence du curé, l'huile fut introduite dans le récipient, et la lampe allumée; la lampe allumée, le curé ferma lui-même la porte de l'église, mit la clef dans sa poche, et se retira chez lui.

Puis il prit un bréviaire, s'accommoda près de sa fenêtre dans un grand fauteuil, et, les yeux alternativement fixés sur le livre et sur l'église, il attendit.

Vers minuit, il vit la lumière qui illuminait les vitraux diminuer, pâlir et s'éteindre.

Cette fois, il y avait une cause étrangère, mystérieuse, inexplicable, à laquelle le pauvre bedeau ne pouvait avoir aucune part.

Un instant, le curé pensa que des voleurs s'introduisaient dans l'église et volaient l'huile. Mais en supposant le méfait commis par des voleurs, c'étaient des gaillards bien honnêtes de se borner à voler l'huile, quand ils épargnaient les vases sacrés.

Ce n'étaient donc pas des voleurs; c'était donc une autre cause qu'aucune de celles qu'on pouvait imaginer, une cause surnaturelle peut-être. Le curé résolut de reconnaître cette cause, quelle qu'elle fût.

Le lendemain soir, il versa lui-même l'huile pour bien se convaincre qu'il n'était pas dupe d'un tour de passe-passe; puis, au lieu de sortir comme il l'avait fait la veille, il se cacha dans un confessionnal.

Les heures s'écoulèrent, la lampe éclairait d'une lueur calme et égale: minuit sonna....

Le curé crut entendre un léger bruit, pareil à celui d'une pierre qui se déplace, puis il vit l'ombre d'un animal avec des pattes gigantesques, laquelle ombre monta contre un pilier, courut le long de la corniche, apparut un instant à la voûte, descendit le long de la corde, et fit une station sur la lampe, qui commença de pâlir, vacilla et s'éteignit.

Le curé se trouva dans l'obscurité la plus complète. Il comprit que c'était une expérience à renouveler, en se rapprochant du lieu où se passait la scène.

Rien de plus facile: au lieu de se mettre dans le confessionnal qui était dans le côté de l'église opposé à la lampe, il n'avait qu'à se cacher dans le confessionnal qui était placé à quelques pas d'elle seulement.

Tout fut donc fait le lendemain comme la veille; seulement le curé changea de confessionnal et se munit d'une lanterne sourde.

Jusqu'à minuit, même calme, même silence, même honnêteté de la lampe à remplir ses fonctions. Mais aussi, au dernier coup de minuit, même craquement que la veille. Seulement, comme le craquement se produisait à quatre pas du confessionnal, les yeux du curé purent immédiatement se fixer sur l'emplacement d'où venait le bruit. C'était la tombe du chevalier qui craquait.

Puis la dalle sculptée qui recouvrait le sépulcre se souleva lentement, et, par l'entrebâillement du tombeau, le curé vit sortir une araignée de la taille d'un barbet, avec un poil long de six pouces, des pattes longues d'une aune, laquelle se mit incontinent, sans hésitation, sans chercher un chemin qu'on voyait lui être familier, à gravir le pilier, à courir sur sa corniche, à descendre le long de la corde, et, arrivée là, à boire l'huile de la lampe, qui s'éteignit.

Mais alors le curé eut recours à sa lanterne sourde, dont il dirigea les rayons vers la tombe du chevalier.

Alors il s'aperçut que l'objet qui la tenait entrouverte était un crapaud gros comme une tortue de mer, lequel, en s'enflant, soulevait la pierre et donnait passage à l'araignée, qui allait incontinent pomper l'huile, qu'elle revenait partager avec son compagnon.

Tous deux vivaient ainsi depuis des siècles dans cette tombe, où ils habiteraient probablement encore aujourd'hui si un accident n'eût révélé au curé la présence d'un voleur quelconque dans son église.

Le lendemain, le curé avait requis main-forte, on avait soulevé la pierre du tombeau, et l'on avait mis à mort l'insecte et le reptile, dont les cadavres étaient suspendus au plafond et faisaient foi de cet étrange événement.

D'ailleurs, le paysan qui racontait la chose à Nodier était un de ceux qui avaient été appelés par le curé pour combattre ces deux commensaux de la tombe du chevalier, et comme lui s'était acharné particulièrement au crapaud, une goutte de sang de l'immonde animal, qui avait jailli sur sa paupière, avait failli le rendre aveugle comme Tobie.

Il en était quitte pour être borgne.

Pour Nodier, les histoires de crapauds ne se bornaient pas là; il y avait quelque chose de mystérieux dans la longévité de cet animal qui plaisait à l'imagination de Nodier. Aussi toutes les histoires de crapauds centenaires ou millénaires, les savait-il; tous les crapauds découverts dans des pierres, ou dans des troncs d'arbres, depuis le crapaud trouvé en 1756 par le sculpteur Le Prince, à Eretteville, au milieu d'une pierre dure où il était encastré, jusqu'au crapaud enfermé par Hérifsant, en 1771, dans une case de plâtre, et qu'il retrouva parfaitement vivant en 1774, étaient-ils de sa compétence. Quand on demandait à Nodier de quoi vivaient les malheureux prisonniers: Ils avaient leur peau, répondait-il. Il avait étudié un crapaud petit-maître qui avait fait six fois peau neuve dans un hiver, et qui six fois avait avalé la vieille. Quant à ceux qui étaient dans des pierres de formation primitive, depuis la création du monde, comme le crapaud que l'on trouva dans la carrière de Boursick, en Gothie, l'inaction totale dans laquelle ils avaient été obligés de demeurer, la suspension de la vie dans une température qui ne permettait aucune dissolution et qui ne rendait nécessaire la réparation d'aucune perte, l'humidité du lieu, qui entretenait celle de l'animal et qui empêchait sa destruction par le dessèchement, tout cela paraissait à Nodier des raisons suffisantes à une conviction dans laquelle il y avait autant de foi que de science.

D'ailleurs Nodier avait, nous l'avons dit, une certaine humilité naturelle, une certaine pente à se faire petit lui-même qui l'entraînait vers les petits et les humbles. Nodier bibliophile trouvait parmi les livres des chefs-d'œuvre ignorés, qu'il tirait de la tombe des bibliothèques; Nodier philanthrope trouvait parmi les vivants des poètes inconnus, qu'il mettait au jour et qu'il conduisait à la célébrité; toute injustice, toute oppression le révoltait, et, selon lui, on opprimait le crapaud, on était injuste envers lui, on ignorait ou l'on ne voulait pas connaître les vertus du crapaud. Le crapaud était bon ami; Nodier l'avait déjà prouvé par l'association du crapaud et de l'araignée, et, à la rigueur, il le prouvait deux fois en racontant une autre histoire de crapaud et de lézard non moins fantastique que la première; le crapaud était donc, non seulement bon ami, mais encore bon père et bon époux. En accouchant lui-même sa femme, le crapaud avait donné aux maris, les premières leçons d'amour conjugal; en enveloppant les œufs de sa famille autour de ses pattes de derrière ou en les portant sur son dos, le crapaud avait donné aux chefs de famille la première leçon de paternité; quant à cette bave que le crapaud répand ou lance même quand on le tourmente, Nodier assurait que c'était la plus innocente substance qu'il y eût au monde, et il la préférait à la salive de bien des critiques de sa connaissance.

Ce n'était pas que ces critiques ne fussent reçus chez lui comme les autres, et ne fussent même bien reçus, mais, peu à peu, ils se retiraient d'eux-mêmes, ils ne se sentaient point à l'aise au milieu de cette bienveillance qui était l'atmosphère naturelle de l'Arsenal, et à travers laquelle ne passait la raillerie que comme passe la luciole au milieu de ces belles nuits de Nice et de Florence, c'est-à-dire pour jeter une lueur et s'éteindre aussitôt.

On arrivait ainsi à la fin d'un dîner charmant, dans lequel tous les accidents, excepté le renversement du sel, excepté un pain posé à l'envers, étaient pris du côté philosophique; puis on servait le café à table. Nodier était sybarite au fond, il appréciait parfaitement ce sentiment de sensualité parfaite qui ne place aucun mouvement, aucun déplacement, aucun dérangement entre le dessert et le couronnement du dessert. Pendant ce moment de délices asiatiques, madame Nodier se levait et allait faire allumer le salon. Souvent moi, qui ne prenais point de café, je l'accompagnais. Ma longue taille lui était d'une grande utilité pour éclairer le lustre sans monter sur les chaises.

Alors, le salon s'illuminait, car avant le dîner et les jours ordinaires on n'était jamais reçu que dans la chambre à coucher de madame Nodier; alors le salon s'illuminait et éclairait des lambris peints en blanc avec des moulures Louis XV, un ameublement des plus simples, se composant de douze fauteuils et d'un canapé en Casimir rouge, de rideaux de croisée de même couleur, d'un buste d'Hugo, d'une statue d'Henri IV, d'un portrait de Nodier et d'un paysage alpestre de Régnier.

Dans ce salon, cinq minutes après son éclairage, entraient les convives, Nodier venant le dernier, appuyé soit au bras de Dauzats, soit au bras de Bixio, soit au bras de Francis Wey, soit au mien, Nodier toujours soupirant et se plaignant comme s'il n'eût eu que le souffle; alors il allait s'étendre dans un grand fauteuil à droite de la cheminée, les jambes allongées, les bras pendants, ou se mettre debout devant le chambranle, les mollets au feu, le dos à la glace. S'il s'étendait dans le fauteuil, tout était dit: Nodier, plongé dans cet instant de béatitude que donne le café, voulait jouir en égoïste de lui-même, et suivre silencieusement le rêve de son esprit; s'il s'adossait au chambranle, c'était autre chose: c'est qu'il allait conter; alors tout le monde se taisait, alors se déroulait une de ces charmantes histoires de sa jeunesse qui semblent un roman de Longu, une idylle de Théocrite; ou quelque sombre drame de la Révolution, dont un champ de bataille de la Vendée ou la place de la Révolution était toujours le théâtre; ou enfin quelque mystérieuse conspiration de Cadoudal ou d'Oudet, de Staps ou de Lahorie; alors ceux qui entraient faisaient silence, saluaient de la main, et allaient s'asseoir dans un fauteuil ou s'adosser contre le lambris; puis l'histoire finissait, comme finit toute chose. On n'applaudissait pas; pas plus qu'on n'applaudit le murmure d'une rivière, le chant d'un oiseau; mais, le murmure éteint, mais, le chant évanoui, on écoutait encore. Alors Marie, sans rien dire, allait se mettre à son piano, et, tout à coup, une brillante fusée de notes s'élançait dans les airs comme le prélude d'un feu d'artifice: alors les joueurs, relégués dans des coins, se mettaient à des tables et jouaient.

Nodier n'avait longtemps joué qu'à la bataille, c'était son jeu de prédilection, et il s'y prétendait d'une force supérieure; enfin, il avait fait une concession au siècle et jouait à l'écarté.

Alors Marie chantait des paroles d'Hugo, de Lamartine ou de moi, mises en musique par elle; puis, au milieu de ces charmantes mélodies, toujours trop courtes, on entendait tout à coup éclore la ritournelle d'une contredanse, chaque cavalier courait à sa danseuse, et un bal commençait.

Bal charmant dont Marie faisait tous les frais, jetant, au milieu de trilles rapides brodés par ses doigts sur les touches du piano, un mot à ceux qui s'approchaient d'elle, à chaque traversée, à chaque chaîne des dames, à chaque chassé-croisé. À partir de ce moment, Nodier disparaissait, complètement oublié, car lui, ce n'était pas un de ces maîtres absolus et bougons dont on sent la présence et dont on devine l'approche; c'était l'hôte de l'Antiquité, qui s'efface pour faire place à celui qu'il reçoit, et qui se contentait d'être gracieux, faible et presque féminin.

D'ailleurs Nodier, après avoir disparu un peu, disparaissait bientôt tout à fait. Nodier se couchait de bonne heure, ou plutôt on couchait Nodier de bonne heure. C'était madame Nodier qui était chargée de ce soin. L'hiver elle sortait la première du salon; puis quelquefois, quand il n'y avait pas de braise dans la cuisine, on voyait une bassinoire passer, s'emplir et entrer dans la chambre à coucher. Nodier suivait la bassinoire, et tout était dit.

Dix minutes après, madame Nodier rentrait. Nodier était couché, et s'endormait aux mélodies de sa fille, et au bruit des piétinements et aux rires des danseurs.

Un jour nous trouvâmes Nodier bien autrement humble que de coutume. Cette fois, il était embarrassé, honteux. Nous lui demandâmes avec inquiétude ce qu'il avait.

Nodier venait d'être nommé académicien.

Il nous fit ses excuses bien humbles, à Hugo et à moi.

Mais il n'y avait pas de sa faute, l'Académie l'avait nommé au moment où il s'y attendait le moins.

C'est que Nodier, aussi savant à lui seul que tous les académiciens ensemble, démolissait pierre à pierre le dictionnaire de l'Académie. Il racontait que l'Immortel chargé de faire l'article *écrevisse* lui avait un jour montré cet article, en lui demandant ce qu'il en pensait.

L'article était conçu dans ces termes:

«Écrevisse, petit poisson rouge qui marche à reculons.»

—Il n'y a qu'une erreur dans votre définition, répondit Nodier, c'est que l'écrevisse n'est pas un poisson, c'est que l'écrevisse n'est pas rouge, c'est que l'écrevisse ne marche pas à reculons... le reste est parfait.

J'oublie de dire qu'au milieu de tout cela, Marie Nodier s'était mariée, était devenue madame Ménessier; mais ce mariage n'avait absolument rien changé à la vie de l'Arsenal. Jules était un ami à tous: on le voyait venir depuis longtemps dans la maison; il y demeura au lieu d'y venir, voilà tout.

Je me trompe, il y eut un grand sacrifice accompli: Nodier vendit sa bibliothèque; Nodier aimait ses livres, mais il adorait Marie.

Il faut dire une chose aussi, c'est que personne ne savait faire la réputation d'un livre comme Nodier. Voulait-il vendre ou faire vendre un livre, il le glorifiait par un article: avec ce qu'il découvrait dedans, il en faisait un exemplaire unique. Je me rappelle l'histoire d'un volume intitulé *le Zombi du grand Pérou*, que Nodier prétendit être imprimé aux colonies, et dont il détruisit l'édition de son autorité privée; le livre valait cinq francs, il monta à cent écus.

Quatre fois Nodier vendit ses livres, mais il gardait toujours un certain fonds, un noyau précieux à l'aide duquel, au bout de deux ou trois ans, il avait reconstruit sa bibliothèque.

Un jour, toutes ces charmantes fêtes s'interrompirent. Depuis un mois ou deux, Nodier était plus souffreteux, plus plaintif. Au reste, l'habitude qu'on avait d'entendre plaindre Nodier faisait qu'on n'attachait pas une grande attention à ses plaintes. C'est qu'avec le caractère de Nodier il était assez difficile de séparer le mal réel d'avec les souffrances chimériques. Cependant, cette fois, il s'affaiblissait visiblement. Plus de flâneries sur les quais, plus de promenades sur les boulevards, un lent acheminement seulement, quand du ciel gris filtrait un dernier rayon du soleil d'automne, un lent acheminement vers Saint-Mandé.

Le but de la promenade était un méchant cabaret, où, dans les beaux jours de sa bonne santé, Nodier se régalait de pain bis. Dans ses courses, d'ordinaire, toute la famille l'accompagnait, excepté Jules, retenu à son bureau. C'était madame Nodier, c'était Marie, c'étaient les deux enfants, Charles et Georgette; tout cela ne voulait plus quitter le mari, le père et le grand-père. On sentait qu'on n'avait plus que peu de temps à rester avec lui, et l'on en profitait.

Jusqu'au dernier moment, Nodier insista pour la conversation du dimanche; puis, enfin, on s'aperçut que de sa chambre le malade ne pouvait plus supporter le bruit et le mouvement qui se faisaient dans le salon. Un jour, Marie nous annonça tristement que, le dimanche suivant, l'Arsenal serait fermé; puis tout bas elle dit aux intimes:

—Venez, nous causerons. Nodier s'alita enfin pour ne plus se relever. J'allai le voir.

—Oh! mon cher Dumas, me dit-il en me tendant les bras du plus loin qu'il m'aperçut, du temps où je me portais bien, vous n'aviez en moi qu'un ami; depuis que je suis malade, vous avez en moi un homme reconnaissant. Je ne puis plus travailler, mais je puis encore lire, et, comme vous voyez, je vous lis, et quand je suis fatigué, j'appelle ma fille, et ma fille vous lit.

Et Nodier me montra effectivement mes livres épars sur son lit et sur sa table.

Ce fut un de mes moments d'orgueil réel. Nodier isolé du monde, Nodier ne pouvant plus travailler, Nodier, cet esprit immense, qui savait tout, Nodier me lisait et s'amusait en me lisant.

Je lui pris les mains, j'eusse voulu les baiser, tant j'étais reconnaissant.

À mon tour, j'avais lu la veille une chose de lui, un petit volume qui venait de paraître en deux livraisons de la *Revue des Deux Mondes*.

C'était *Inès de las Sierras*. J'étais émerveillé. Ce roman, une des dernières publications de Charles, était si frais, si coloré, qu'on eût dit une œuvre de sa jeunesse que Nodier avait retrouvée et mise au jour à l'autre horizon de sa vie. Cette histoire d'Inès, c'était une histoire d'apparition de spectres, de fantômes; seulement, toute fantastique durant la première partie, elle cessait de l'être dans la seconde; la fin expliquait le commencement. Oh! de cette explication je me plaignis amèrement à Nodier.

—C'est vrai, me dit-il, j'ai eu tort; mais j'en ai une autre; celle-là je ne la gâterai pas, soyez tranquille.

—À la bonne heure, et quand vous y mettrez-vous, à cette œuvre-là? Nodier me prit la main.

—Celle-là, je ne la gâterai pas, parce que ce n'est pas moi qui l'écrirai, dit-il.

—Et qui l'écrira?

—Vous.

—Comment! moi, mon bon Charles? mais je ne la sais pas, votre histoire.

—Je vous la raconterai. Oh! celle-là, je la gardais pour moi, ou plutôt pour vous.

—Mon bon Charles, vous me la raconterez, vous l'écrirez, vous l'imprimerez. Nodier secoua la tête.

—Je vais vous la dire, fit-il; vous me la rendrez si j'en reviens.

—Attendez à ma prochaine visite, nous avons le temps.

—Mon ami, je vous dirai ce que je disais à un créancier quand je lui donnais un acompte: Prenez toujours. Et il commença. Jamais Nodier n'avait raconté d'une façon si charmante. Oh! si j'avais eu une plume, si j'avais eu du papier, si j'avais pu écrire aussi vite que la parole! L'histoire était longue, je restai à dîner. Après le dîner, Nodier s'était assoupi. Je sortis de l'Arsenal sans le revoir. Je ne le revis plus.

Nodier, que l'on croyait si facile à la plainte, avait au contraire caché jusqu'au dernier moment ses souffrances à sa famille.

Lorsqu'il découvrit la blessure, on reconnut que la blessure était mortelle.

Nodier était non seulement chrétien, mais bon et vrai catholique. C'était à Marie qu'il avait fait promettre de lui envoyer chercher un prêtre lorsque l'heure serait venue. L'heure était venue, Marie envoya chercher le curé de Saint-Paul.

Nodier se confessa. Pauvre Nodier! il devait y avoir bien des péchés dans sa vie, mais il n'y avait certes pas une faute.

La confession achevée, toute la famille entra.

Nodier était dans une alcôve sombre, d'où il étendait les bras sur sa femme, sur sa fille et sur ses petits-enfants.

Derrière la famille étaient les domestiques.

Derrière les domestiques, la bibliothèque, c'est-à-dire ces amis qui ne changent jamais, les livres.

Le curé dit à haute voix les prières auxquelles Nodier répondit aussi à haute voix, en homme familier avec la liturgie chrétienne. Puis, les prières finies, il embrassa tout le monde, rassura chacun sur son état, affirma qu'il se sentait encore de la vie pour un jour ou deux, surtout si on le laissait dormir pendant quelques heures.

On laissa Nodier seul, et il dormit cinq heures.

Le 26 janvier au soir, c'est-à-dire la veille de sa mort, la fièvre augmenta et produisit un peu de délire; vers minuit, il ne reconnaissait personne, sa bouche prononça des paroles sans suite, dans lesquelles on distingua les noms de Tacite et de Fénelon.

Vers deux heures, la mort commençait de frapper à la porte: Nodier fut secoué par une crise violente, sa fille était penchée sur son chevet et lui tendait une tasse pleine d'une potion calmante; il ouvrit les yeux, regarda Marie et la reconnut à ses larmes; alors il prit la tasse de ses mains et but avec avidité le breuvage qu'elle contenait.

—Tu as trouvé cela bon? demanda Marie.

—Oh oui! mon enfant, comme tout ce qui vient de toi.

Et la pauvre Marie laissa tomber sa tête sur le chevet du lit, couvrant de ses cheveux le front humide du mourant.

—Oh! si tu restais ainsi, murmura Nodier, je ne mourrais jamais[1]. La mort frappait toujours.

[Note 1: Francis Wey a publié, sur les derniers moments de Nodier, une notice pleine d'intérêt, mais écrite pour les amis, et tirée à vingt-cinq exemplaires seulement.]

Les extrémités commençaient à se refroidir; mais, au fur et à mesure que la vie remontait, elle se concentrait au cerveau et faisait à Nodier un esprit plus lucide qu'il ne l'avait jamais eu.

Alors il bénit sa femme et ses enfants, puis il demanda le quantième du mois.

—Le 27 janvier, dit madame Nodier.

—Vous n'oublierez pas cette date, n'est-ce pas, mes amis? dit Nodier. Puis, se tournant vers la fenêtre:

—Je voudrais bien voir encore une fois le jour, fit-il avec un soupir. Puis il s'assoupit. Puis son souffle devint intermittent.

Puis enfin, au moment où le premier rayon du jour frappa les vitres il rouvrit les yeux, fit du regard un signe d'adieu et expira.

Avec Nodier tout mourut à l'Arsenal, joie, vie et lumière; ce fut un deuil qui nous prit tous; chacun perdait une portion de lui-même en perdant Nodier.

Moi, pour mon compte, je ne sais comment dire cela, mais j'ai quelque chose de mort en moi depuis que Nodier est mort.

Ce quelque chose ne vit que lorsque je parle de Nodier.

Voilà pourquoi j'en parle si souvent.

Maintenant, l'histoire qu'on a lue, c'est celle que Nodier m'a racontée.

CHAPITRE II.

La famille d'Hoffmann.

Au nombre de ces ravissantes cités qui s'éparpillent au bord du Rhin, comme les grains d'un chapelet dont le fleuve serait le fil, il faut compter Mannheim, la seconde capitale du grand-duché de Bade, Mannheim, la seconde résidence du grand-duc.

Aujourd'hui que les bateaux à vapeur qui montent et descendent le Rhin passent à Mannheim, aujourd'hui qu'un chemin de fer conduit à Mannheim, aujourd'hui que Mannheim, au milieu du pétillement de la fusillade, a secoué, les cheveux épars et la robe teinte de sang, l'étendard de la rébellion contre son grand-duc, je ne sais plus ce qu'est Mannheim; mais, à l'époque où commence cette histoire, c'est-à-dire il y a bientôt cinquante-six ans, je vais vous dire ce qu'elle était.

C'était la ville allemande par excellence, calme et politique à la fois, un peu triste, ou plutôt un peu rêveuse: c'était la ville des romans d'Auguste Lafontaine et des poèmes de Goethe, d'Henriette Belmann et de Werther.

En effet, il ne s'agit que de jeter un coup d'œil sur Mannheim pour juger à l'instant, en voyant ses maisons honnêtement alignées, sa division en quatre quartiers, ses rues larges et belles où pointe l'herbe, sa fontaine mythologique, sa promenade ombragée d'un double rang d'acacias qui la traverse d'un bout à l'autre; pour juger, dis-je, combien la vie serait douce et facile dans un semblable paradis, si parfois les passions amoureuses ou politiques n'y venaient mettre un pistolet à la main de Werther[2] ou un poignard à la main de Sand[3].

[Note 2: Les souffrances du jeune Wether (1774) est un roman sous forme épistolaire, écrit par Goethe. Ce récit tragique évoque une passion amoureuse sans espoir qui accule le héros au suicide.]

[Note 3: Karl Sand, criminel célèbre exécuté à Mannheim en 1820.]

Il y a surtout une place qui a un caractère tout particulier, c'est celle où s'élèvent à la fois l'église et le théâtre.

Église et théâtre ont dû être bâtis en même temps, probablement par le même architecte; probablement encore vers le milieu de l'autre siècle, quand les caprices d'une favorite influaient sur l'art à ce point que tout un côté de l'art prenait son nom, depuis l'église jusqu'à la petite maison, depuis la statue de bronze de dix coudées jusqu'à la figurine en porcelaine de Saxe.

L'église et le théâtre de Mannheim sont donc dans le style Pompadour.

L'église a deux niches extérieures: dans l'une de ces deux niches est une Minerve, et dans l'autre est une Hébé.

La porte du théâtre est surmontée de deux sphinx. Ces deux sphinx représentent, l'un la Comédie, l'autre la Tragédie.

Le premier de ces deux sphinx tient sous sa patte un masque, le second un poignard. Tous deux sont coiffés en racine droite avec un chignon poudré ce qui ajoute merveilleusement à leur caractère égyptien.

Au reste, toute la place, maisons contournées, arbres frisés, murailles festonnées, est dans le même caractère, et forme un ensemble des plus réjouissants.

Eh bien! C'est dans une chambre située au premier étage d'une maison dont les fenêtres donnent de biais sur le portail de l'église des Jésuites, que nous allons conduire nos lecteurs, en leur faisant seulement observer que nous les rajeunissons de plus d'un demi-siècle, et que nous en sommes, comme millésime, à l'an de grâce ou de disgrâce 1793, et comme quantième au dimanche 10 du mois de mai.

Tout est donc en train de fleurir: les algues au bord du fleuve, les marguerites dans la prairie, l'aubépine dans les haies, la rose dans les jardins, l'amour dans les cœurs.

Maintenant ajoutons ceci: c'est qu'un des cœurs qui battaient le plus violemment dans la ville de Mannheim et dans les environs était celui du jeune homme qui habitait cette petite chambre dont nous venons de parler, et dont les fenêtres donnaient de biais sur le portail de l'église des Jésuites.

Chambre et jeune homme méritent chacun une description particulière.

La chambre, à coup sûr, était celle d'un esprit capricieux et pittoresque tout ensemble, car elle avait à la fois l'aspect d'un atelier, d'un magasin de musique et d'un cabinet de travail.

Il y avait une palette, des pinceaux et un chevalet, et sur ce chevalet une esquisse commencée.

Il y avait une guitare, une viole d'amour et un piano, et sur ce piano une sonate ouverte.

Il y avait une plume, de l'encre et du papier, et sur ce papier un commencement de ballade griffonné.

Puis, le long des murailles, des arcs, des flèches, des arbalètes du quinzième, des instruments de musique du dix-septième, des bahuts de tous les temps, des pots à boire de toutes les formes, des aiguières de toutes les espèces, enfin des colliers de verre, des éventails de plumes, des lézards empaillés, des fleurs sèches, tout un monde enfin; mais tout un monde ne valant pas vingt cinq thalers de bon argent.

Celui qui habitait cette chambre était-il un peintre, un musicien ou un poëte? Nous l'ignorons.

Mais, à coup sûr, c'était un fumeur; car, au milieu de toutes ces collections, la collection la plus complète, la plus en vue, la collection occupant la place d'honneur et s'épanouissant au soleil au-dessus d'un vieux canapé, à la portée de la main, était une collection de pipes.

Mais, quel qu'il fût, poëte, musicien, peintre ou fumeur, pour le moment, il ne fumait, ni ne peignait, ni ne notait, ni ne composait.

Non, il regardait.

Il regardait, immobile, debout, appuyé contre la muraille, retenant son souffle; il regardait par sa fenêtre ouverte, après s'être fait un rempart du rideau, pour voir sans être vu; il regardait comme on regarde quand les yeux ne sont que la lunette du cœur!

Que regardait-il?

Un endroit parfaitement solitaire pour le moment, le portail de l'église des Jésuites.

Il est vrai que ce portail était solitaire parce que l'église était pleine.

Maintenant quel aspect avait celui qui habitait cette chambre, celui qui regardait derrière ce rideau, celui dont le cœur battait ainsi en regardant?

C'était un jeune homme de dix-huit ans tout au plus, petit de taille, maigre de corps, sauvage d'aspect. Ses longs cheveux noirs tombaient de son front jusqu'au-dessous de ses yeux, qu'ils voilaient quand il ne les écartait pas de la main, et, à travers le voile de ses cheveux, son regard brillait fixe et fauve, comme le regard d'un homme dont les facultés mentales ne doivent pas toujours demeurer dans un parfait équilibre.

Ce jeune homme, ce n'était ni un poëte, ni un peintre, ni un musicien: c'était un composé de tout cela; c'était la peinture, la musique et la poésie réunies; c'était un tout bizarre, fantasque, bon et mauvais, brave et timide, actif et paresseux: ce jeune homme, enfin, c'était Ernest-Théodore-Guillaume Hoffmann.

Il était né par une rigoureuse nuit d'hiver, en 1776, tandis que le vent sifflait, tandis que la neige tombait, tandis que tout ce qui n'est pas riche souffrait: il était né à Koenigsberg, au fond de la Vieille-Prusse; né si faible, si grêle, si pauvrement bâti, que l'exiguïté de sa personne fit croire à tout le monde qu'il était bien plus pressant de lui commander une tombe que de lui acheter un berceau; il était né la même année où Schiller, écrivant son drame des *Brigands*, signait Schiller, *esclave de Klopstock*; né au milieu d'une de ces vieilles familles bourgeoises comme nous en avions en France du temps de la Fronde, comme il y en a encore en Allemagne, mais comme il n'y en aura bientôt plus nulle part; né d'une mère au tempérament maladif, mais d'une résignation profonde, ce qui donnait à toute sa personne souffrante l'aspect d'une adorable mélancolie; né d'un père à la démarche et à l'esprit sévères, car ce père était conseiller criminel et commissaire de justice près le tribunal supérieur provincial. Autour de cette mère et de ce père, il y avait des oncles juges, des oncles baillis, des oncles bourgmestres, des tantes jeunes encore, belles encore, coquettes encore; oncles et tantes, tous musiciens, tous artistes, tous pleins de sève, tous allègres. Hoffmann disait les avoir vus; il se les rappelait exécutant autour de lui, enfant de six, de huit, de dix ans, des concerts étranges où chacun jouait d'un de ces vieux instruments dont on ne sait même plus les noms aujourd'hui: tympanons, rebecs, cithares, cistres, violes d'amour, violes de gambe. Il est vrai que personne autre qu'Hoffmann n'avait jamais vu ces oncles musiciens, ces tantes musiciennes, et qu'oncles et tantes s'étaient retirés les uns après les autres comme des spectres, après avoir éteint, en se retirant, la lumière qui brûlait sur leurs pupitres.

De tous ces oncles, cependant, il en restait un. De toutes ces tantes, cependant, il en restait une.

Cette tante, c'était un des souvenirs charmants d'Hoffmann.

Dans la maison où Hoffmann avait passé sa jeunesse, vivait une sœur de sa mère, une jeune femme aux regards suaves et pénétrant au plus profond de l'âme; une jeune femme douce, spirituelle, pleine de finesse, qui, dans l'enfant que chacun tenait pour un fou, pour un maniaque, pour un enragé, voyait un esprit éminent; qui plaidait seule pour lui, avec sa mère, bien entendu; qui lui prédisait le génie, la gloire; prédiction qui plus d'une fois fit venir les larmes aux yeux de la mère d'Hoffmann; car elle savait que le compagnon inséparable du génie et de la gloire, c'est le malheur.

Cette tante, c'était la tante Sophie.

Cette tante était musicienne comme toute la famille, elle jouait du luth. Quand Hoffmann s'éveillait dans son berceau, il s'éveillait inondé d'une vibrante harmonie; quand il ouvrait les yeux, il voyait la forme gracieuse de la jeune femme mariée à son instrument. Elle était ordinairement vêtue d'une robe vert d'eau avec nœuds roses, elle était ordinairement accompagnée d'un vieux musicien à jambes torses et à perruque blanche qui jouait d'une basse plus grande que lui, à laquelle il se cramponnait, montant et descendant comme fait un lézard le long d'une courge. C'est à ce torrent d'harmonie tombant comme une cascade de perles des doigts de la belle Euterpe qu'Hoffmann avait bu le philtre enchanté qui l'avait lui-même fait musicien.

Aussi la tante Sophie, avons-nous dit, était un des charmants souvenirs d'Hoffmann.

Il n'en était pas de même de son oncle.

La mort du père d'Hoffmann, la maladie de sa mère, l'avaient laissé aux mains de cet oncle.

C'était un homme aussi exact que le pauvre Hoffmann était décousu, aussi bien ordonné que le pauvre Hoffmann était bizarrement fantasque, et dont l'esprit d'ordre et d'exactitude s'était éternellement exercé sur son neveu, mais toujours aussi inutilement que s'était exercé sur ses pendules l'esprit de l'empereur Charles Quint: l'oncle avait beau faire, l'heure sonnait à la fantaisie du neveu, jamais à la sienne.

Au fond, ce n'était point cependant, malgré son exactitude et sa régularité, un trop grand ennemi des arts et de l'imagination que cet oncle d'Hoffmann; il tolérait même la musique, la poésie et la peinture; mais il prétendait qu'un homme sensé ne devait recourir à de pareils délassements qu'après son dîner, pour faciliter la digestion. C'était sur ce thème qu'il avait réglé la vie d'Hoffmann: tant d'heures pour le sommeil, tant d'heures pour l'étude du barreau, tant d'heures pour le repas, tant de minutes pour la musique, tant de minutes pour la peinture, tant de minutes pour la poésie.

Hoffmann eût voulu retourner tout cela, lui, et dire: tant de minutes pour le barreau, et tant d'heures pour la poésie, la peinture et la musique; mais Hoffmann n'était pas le maître; il en était résulté qu'Hoffmann avait pris en horreur le barreau et son oncle, et qu'un beau jour il s'était sauvé de Koenigsberg avec quelques thalers en poche, avait gagné Heidelberg, où il avait fait une halte de quelques instants, mais où il n'avait pu rester, vu la mauvaise musique que l'on faisait au théâtre.

En conséquence, de Heidelberg il avait gagné Mannheim, dont le théâtre, près duquel, comme on le voit, il s'était logé, passait pour être le rival des scènes lyriques de France et d'Italie; nous disons de France et d'Italie, parce qu'on n'oubliera point que c'est cinq ou six ans seulement avant l'époque à laquelle nous sommes arrivés qu'avait eu lieu, à l'Académie royale de musique, la grande lutte contre Gluck et Piccinni.

Hoffmann était donc à Mannheim, où il logeait près du théâtre, et où il vivait du produit de sa peinture, de sa musique et de sa poésie, joint à quelques frédérics d'or que sa bonne mère lui faisait passer de temps en temps, au moment où, nous arrogeant le privilège du Diable boiteux, nous venons de lever le plafond de sa chambre et de le montrer à nos lecteurs debout, appuyé à la muraille, immobile derrière son rideau, haletant, les yeux fixés sur le portail de l'église des Jésuites.

CHAPITRE III.

Un amoureux et un fou.

Dans l'instant où quelques personnes, sortant de l'église des Jésuites, quoique la messe fût à peine à moitié de sa célébration, rendaient l'attention d'Hoffmann plus vive que jamais, on heurta à sa porte. Le jeune homme secoua la tête et frappa du pied avec un mouvement d'impatience, mais ne répondit pas.

On heurta une seconde fois.

Un regard torve alla foudroyer l'indiscret à travers la porte.

On frappa une troisième fois.

Cette fois, le jeune homme demeura tout à fait immobile; il était visiblement décidé à ne pas ouvrir.

Mais, au lieu de s'obstiner à frapper, le visiteur se contenta de prononcer un des prénoms d'Hoffmann.

—Théodore, dit-il.

—Ah! c'est toi, Zacharias Werner, murmura Hoffmann.

—Oui, c'est moi; tiens-tu à être seul?

—Non, attends.

Et Hoffmann alla ouvrir.

Un grand jeune homme, pâle, maigre et blond, un peu effaré, entra. Il pouvait avoir trois ou quatre ans de plus qu'Hoffmann. Au moment où la porte s'ouvrait, il lui posa la main sur l'épaule et les lèvres sur le front, comme eût pu faire un frère aîné.

C'était, en effet, un véritable frère pour Hoffmann. Né dans la même maison que lui, Zacharias Werner, le futur auteur de *Martin Luther*, de l'*Attila*, du *24 Février*, de *La Croix de la Baltique*, avait grandi sous la double protection de sa mère et de la mère d'Hoffmann.

Les deux femmes, atteintes toutes deux d'une affection nerveuse qui se termina par la folie, avaient transmis à leurs enfants cette maladie, qui, atténuée par la transmission, se traduisit en imagination fantastique chez Hoffmann, et en disposition mélancolique chez Zacharias. La mère de ce dernier se croyait, à l'instar de la Vierge, chargée d'une mission divine. Son enfant, son Zacharie, devait être le nouveau Christ, le futur Siloé promis par les Écritures. Pendant qu'il dormait, elle lui tressait des couronnes de bleuets, dont elle ceignait son front; elle s'agenouillait devant lui, chantant, de sa voix douce et harmonieuse, les plus beaux cantiques de Luther, espérant à chaque verset, voir la couronne de bleuets se changer en auréole.

Les deux enfants furent élevés ensemble; c'était surtout parce que Zacharie habitait Heidelberg, où il étudiait, qu'Hoffmann s'était enfui de chez son oncle, et à son tour Zacharie, rendant à Hoffmann amitié pour amitié, avait quitté Heidelberg et était venu rejoindre Hoffmann à Mannheim, quand Hoffmann était venu chercher à Mannheim une meilleure musique que celle qu'il trouvait à Heidelberg.

Mais, une fois réunis, une fois à Mannheim, loin de l'autorité de cette mère si douce, les deux jeunes gens avaient pris appétit aux voyages, ce complément indispensable de l'éducation de l'étudiant allemand, et ils avaient résolu de visiter Paris.

Werner, à cause du spectacle étrange que devait présenter la capitale de la France au milieu de la période de Terreur où elle était parvenue.

Hoffmann, pour comparer la musique française à la musique italienne, et surtout pour étudier les ressources de l'Opéra français comme mise en scène et décors, Hoffmann ayant dès cette époque l'idée qu'il caressa toute sa vie de se faire directeur de théâtre.

Werner, libertin par tempérament, quoique religieux par éducation, comptait bien en même temps profiter pour son plaisir de cette étrange liberté de mœurs à laquelle on était arrivé en 1793, et dont un de ses amis, revenu depuis peu d'un voyage à Paris, lui avait fait une peinture si séduisante, que cette peinture avait tourné la tête du voluptueux étudiant.

Hoffmann comptait voir les musées dont on lui avait dit force merveilles, et, flottant encore dans sa manière, comparer la peinture italienne à la peinture allemande.

Quels que fussent d'ailleurs les motifs secrets qui poussassent les deux amis, le désir de visiter la France était égal chez tous deux.

Pour accomplir ce désir, il ne leur manquait qu'une chose, l'argent. Mais, par une coïncidence étrange, le hasard avait voulu que Zacharie et Hoffmann eussent le même jour reçu chacun de sa mère cinq frédérics d'or.

Dix frédérics d'or faisaient à peu près deux cents livres, c'était une jolie somme pour deux étudiants, qui vivaient, logés, chauffés et nourris, pour cinq thalers par mois. Mais cette somme était bien insuffisante pour accomplir le fameux voyage projeté.

Il était venu une idée aux deux jeunes gens, et, comme cette idée leur était venue à tous deux à la fois, ils l'avaient prise pour une inspiration du ciel.

C'était d'aller au jeu et de risquer chacun les cinq frédérics d'or.

Avec ces dix frédérics il n'y avait pas de voyage possible. En risquant ces dix frédérics on pouvait gagner une somme à faire le tour du monde.

Ce qui fut dit fut fait: la saison des eaux approchait, et puis le 1er mai, les maisons de jeu étaient ouvertes; Werner et Hoffmann entrèrent dans une maison de jeu.

Werner tenta le premier la fortune, et perdit en cinq coups ses cinq frédérics d'or.

Le tour d'Hoffmann était venu.

Hoffmann hasarda en tremblant son premier frédéric d'or et gagna.

Encouragé par ce début, il redoubla. Hoffmann était dans un jour de veine; il gagnait quatre coups sur cinq, et le jeune homme était de ceux qui ont confiance dans la fortune. Au lieu d'hésiter, il marcha franchement de parolis en parolis; on eût pu croire qu'un pouvoir surnaturel le secondait: sans combinaison arrêtée, sans calcul aucun, il jetait son or sur une carte, et son or se doublait, se triplait, se quintuplait. Zacharie, plus tremblant qu'un fiévreux, plus pâle qu'un spectre, Zacharie murmurait: «Assez, Théodore, assez»: mais le joueur raillait cette timidité puérile. L'or suivait l'or, et l'or engendrait l'or. Enfin, deux heures du matin sonnèrent, c'était l'heure de la fermeture de l'établissement, le jeu cessa; les deux jeunes gens, sans compter, prirent chacun une charge d'or. Zacharie, qui ne pouvait croire que toute cette fortune était à lui, sortit le premier: Hoffmann allait le suivre, quand un vieil officier, qui ne l'avait pas perdu de vue pendant tout le temps qu'il avait joué, l'arrêta comme il allait franchir le seuil de la porte.

—Jeune homme, dit-il en lui posant la main sur l'épaule et en le regardant fixement, si vous y allez de ce train-là, vous ferez sauter la banque, j'en conviens; mais quand la banque aura sauté, vous n'en serez qu'une proie plus sûre pour le diable.

Et, sans attendre la réponse d'Hoffmann, il disparut. Hoffmann sortit à son tour, mais il n'était plus le même. La prédiction du vieux soldat l'avait refroidi comme un bain glacé, et cet or, dont ses poches étaient pleines, lui pesait. Il lui semblait porter son fardeau d'iniquités.

Werner l'attendait joyeux. Tous deux revinrent ensemble chez Hoffmann, l'un riant, dansant, chantant; l'autre rêveur, presque sombre.

Celui qui riait, dansait, chantait, c'était Werner; celui qui était rêveur et presque sombre, c'était Hoffmann.

Tous deux, au reste, décidèrent de partir le lendemain soir pour la France.

Ils se séparèrent en s'embrassant.

Hoffmann, resté seul, compta son or.

Il avait cinq mille thalers, vingt-trois ou vingt-quatre mille francs.

Il réfléchit longtemps et sembla prendre une résolution difficile.

Pendant qu'il réfléchissait à la lueur d'une lampe de cuivre éclairant la chambre, son visage était pâle et son front ruisselait de sueur.

À chaque bruit qui se faisait autour de lui, ce bruit fût-il aussi insaisissable que le frémissement de l'aile du moucheron, Hoffmann tressaillait, se retournait et regardait autour de lui avec terreur.

La prédiction de l'officier lui revenait à l'esprit, il murmurait tout bas des vers de *Faust*, et il lui semblait voir, sur le seuil de la porte, le rat rongeur; dans l'angle de sa chambre, le barbet noir.

Enfin son parti fut pris.

Il mit à part mille thalers, qu'il regardait comme la somme grandement nécessaire pour son voyage, fit un paquet des quatre mille autres thalers; puis, sur le paquet, colla une carte avec de la cire, et écrivit sur cette carte:

À Monsieur le bourgmestre de Koenigsberg, pour être partagé entre les familles les plus pauvres de la ville.

Puis, content de la victoire qu'il venait de remporter sur lui-même, rafraîchi par ce qu'il venait de faire, il se déshabilla, se coucha, et dormit tout d'une pièce jusqu'au lendemain à sept heures du matin.

À sept heures il se réveilla, et son premier regard fut pour ses mille thalers visibles et ses quatre mille thalers cachetés. Il croyait avoir fait un rêve.

La vue des objets l'assura de la réalité de ce qui lui était arrivé la veille.

Mais ce qui était une réalité surtout, pour Hoffmann, quoique aucun objet matériel ne fût là pour la lui rappeler, c'était la prédiction du vieil officier.

Aussi, sans regret aucun, s'habilla-t-il comme de coutume; et, prenant ses quatre mille thalers sous son bras, alla-t-il les porter lui-même à la diligence de Koenigsberg, après avoir pris le soin cependant de serrer les mille thalers restants dans son tiroir.

Puis, comme il était convenu, on s'en souvient, que les deux amis partiraient le même soir pour la France, Hoffmann se mit à faire ses préparatifs de voyage.

Tout en allant, tout en venant, tout en époussetant un habit, en pliant une chemise, en assortissant deux mouchoirs, Hoffmann jeta les yeux dans la rue et demeura dans la pose où il était.

Une jeune fille de seize à dix-sept ans, charmante, étrangère bien certainement à la ville de Mannheim, puisque Hoffmann ne la connaissait pas, venait de l'extrémité opposée de la rue et s'acheminait vers l'église.

Hoffmann, dans ses rêves de poëte, de peintre et de musicien, n'avait jamais rien vu de pareil.

C'était quelque chose qui dépassait non seulement tout ce qu'il avait vu, mais encore tout ce qu'il espérait voir.

Et cependant, à la distance où il était, il ne voyait qu'un ravissant ensemble: les détails lui échappaient.

La jeune fille était accompagnée d'une vieille servante.

Toutes deux montèrent lentement les marches de l'église des Jésuites, et disparurent sous le portail.

Hoffmann laissa sa malle à moitié faite, un habit lie-de-vin à moitié battu, sa redingote à brandebourgs à moitié pliée, et resta immobile derrière son rideau.

C'est là que nous l'avons trouvé, attendant la sortie de celle qu'il avait vue entrer.

Il ne craignait qu'une chose: c'est que ce ne fût un ange, et qu'au lieu de sortir par la porte, elle ne s'envolât par la fenêtre pour remonter aux cieux.

C'est dans cette situation que nous l'avons pris, et que son ami Zacharias Werner vint le prendre après nous.

Le nouveau venu appuya du même coup, comme nous l'avons dit, sa main sur l'épaule et ses lèvres sur le front de son ami.

Puis il poussa un énorme soupir.

Quoique Zacharias Werner fût toujours très pâle, il était cependant encore plus pâle que d'habitude.

—Qu'as-tu donc? lui demanda Hoffmann avec une inquiétude réelle.

—Oh! mon ami, s'écria Werner.... Je suis un brigand! je suis un misérable! je mérite la mort... fends-moi la tête avec une hache... perce-moi le cœur avec une flèche. Je ne suis plus digne de voir la lumière du ciel.

—Bah! demanda Hoffmann avec la placide distraction de l'homme heureux; qu'est-il donc arrivé, cher ami?

—Il est arrivé.... Ce qui est arrivé, n'est-ce pas?... tu me demandes ce qui est arrivé?... Eh bien! mon ami, le diable m'a tenté!

—Que veux-tu dire?

—Que quand j'ai vu tout mon or ce matin, il y en avait tant, qu'il me semble que c'est un rêve.

—Comment! un rêve?

—Il y en avait une pleine table, toute couverte, continua Werner. Eh bien! quand j'ai vu cela, une véritable fortune, mille frédérics d'or, mon ami. Eh bien! quand j'ai vu cela, quand de chaque pièce j'ai vu rejaillir un rayon, la rage m'a repris, je n'ai pas pu y résister, j'ai pris le tiers de mon or et j'ai été au jeu.

—Et tu as perdu?

—Jusqu'à mon dernier kreutzer.

—Que veux-tu? c'est un petit malheur, puisqu'il te reste les deux tiers.

—Ah bien oui, les deux tiers! Je suis revenu chercher le second tiers, et....

—Et tu l'as perdu comme le premier?

—Plus vite, mon ami, plus vite.

—Et tu es revenu chercher ton troisième tiers?

—Je ne suis pas revenu, j'ai volé: j'ai pris les quinze cents thalers restants, et je les ai posés sur la rouge.

—Alors, dit Hoffmann, la noire est sortie, n'est-ce pas?

—Ah! mon ami, la noire, l'horrible noire, sans hésitation, sans remords, comme si en sortant elle ne m'enlevait pas mon dernier espoir! Sortie, mon ami, sortie!

—Et tu ne regrettes les mille frédérics qu'à cause du voyage?

—Pas pour autre chose. Oh! si j'eusse seulement mis de côté de quoi aller à Paris, cinq cents thalers!

—Tu te consolerais d'avoir perdu le reste?

—À l'instant même.

—Eh bien! qu'à cela ne tienne, mon cher Zacharias, dit Hoffmann en le conduisant vers son tiroir; tiens, voilà les cinq cents thalers, pars.

—Comment! que je parte? s'écria Werner, et toi?

—Oh! moi, je ne pars plus.

—Comment! tu ne pars plus?

—Non, pas dans ce moment-ci du moins.

—Mais pourquoi? pour quelle raison? qui t'empêche de partir? qui te retient à Mannheim?

Hoffmann entraîna vivement son ami vers la fenêtre. On commençait à sortir de l'église, la messe était finie.

—Tiens, regarde, regarde, dit-il en désignant du doigt quelqu'un à l'attention de Werner.

Et, en effet, la jeune fille inconnue apparaissait au haut du portail, descendant lentement les degrés de l'église, son livre de messe posé contre sa poitrine, sa tête baissée, modeste et pensive comme la Marguerite de Goethe.

—Vois-tu, murmurait Hoffmann, vois-tu?

—Certainement que je vois.

—Eh bien! que dis-tu?

—Je dis qu'il n'y a pas de femme au monde qui vaille qu'on lui sacrifie le voyage de Paris, fût-ce la belle Antonia, fût-ce la fille du vieux Gottlieb Murr, le nouveau chef d'orchestre du théâtre de Mannheim.

—Tu la connais donc?

—Certainement.

—Tu connais donc son père?

—Il était chef d'orchestre au théâtre de Francfort.

—Et tu peux me donner une lettre pour lui?

—À merveille.

—Mets-toi là, Zacharias, et écris.

Zacharias se mit à la table et écrivit.

Au moment de partir pour la France, il recommandait son jeune ami Théodore Hoffmann à son vieil ami Gottlieb Murr.

Hoffmann donna à peine à Zacharias le temps d'achever sa lettre; la signature apposée, il la lui prit, et, embrassant son ami, il s'élança hors de la chambre.

—C'est égal, lui cria une dernière fois Zacharias Werner, tu verras qu'il n'y a pas de femme, si jolie qu'elle soit, qui puisse te faire oublier Paris.

Hoffmann entendit les paroles de son ami, mais il ne jugea pas même à propos de se retourner pour lui répondre, même par un signe d'approbation ou d'improbation.

Quant à Zacharias Werner, il mit ses cinq cents thalers dans sa poche, et, pour n'être plus tenté par le démon du jeu, il courut aussi vite vers l'hôtel des Messageries qu'Hoffmann courait vers la maison du vieux chef d'orchestre.

Hoffmann frappait à la porte du maître Gottlieb Murr juste au même moment où Zacharias Werner montait dans la diligence de Strasbourg.

CHAPITRE IV.

Maître Gottlieb Murr.

Ce fut le chef d'orchestre qui vint ouvrir en personne à Hoffmann.

Hoffmann n'avait jamais vu maître Gottlieb, et cependant il le reconnut.

Cet homme, tout grotesque qu'il était, ne pouvait être qu'un artiste, et même un grand artiste.

C'était un petit vieillard de cinquante-cinq à soixante ans, ayant une jambe tordue, et cependant ne boitant pas trop de cette jambe, qui ressemblait à un tire-bouchon. Tout en marchant, ou plutôt tout en sautillant, et son sautillement ressemblait fort à celui d'un hochequeue, tout en sautillant et en devançant les gens qu'il introduisait chez lui, il s'arrêtait, faisant une pirouette sur sa jambe torse, ce qui lui donnait l'air d'enfoncer une vrille dans la terre, et continuait son chemin.

Tout en le suivant, Hoffmann l'examinait et gravait dans son esprit un de ces fantastiques et merveilleux portraits dont il nous a donné, dans ses œuvres, une si complète galerie.

Le visage du vieillard était enthousiaste, fin et spirituel à la fois, recouvert d'une peau parcheminée, mouchetée de rouge et de noir comme une page de plain-chant. Au milieu de cet étrange faciès brillaient deux yeux vifs dont on pouvait d'autant mieux apprécier le regard aigu, que les lunettes qu'il portait et qu'il n'abandonnait jamais, même dans son sommeil, étaient constamment relevées sur son front ou abaissées sur le bout de son nez. C'était seulement quand il jouait du violon en redressant la tête et en regardant à distance, qu'il finissait par utiliser ce petit meuble qui paraissait être chez lui plutôt un objet de luxe que de nécessité.

Sa tête était chauve et constamment abritée sous une calotte noire, qui était devenue une partie inhérente à sa personne. Jour et nuit maître Gottlieb apparaissait aux visiteurs avec sa calotte. Seulement, lorsqu'il sortait, il se contentait de la surmonter d'une petite perruque à la Jean-Jacques. De sorte que la calotte se trouvait prise entre le crâne et la perruque. Il va sans dire que jamais maître Gottlieb ne s'inquiétait le moins du monde de la portion de velours qui apparaissait sous ses faux cheveux, lesquels ayant plus d'affinité avec le chapeau qu'avec la tête, accompagnaient le chapeau dans son excursion aérienne, toutes les fois que maître Gottlieb saluait.

Hoffmann regarda tout autour de lui, mais ne vit personne.

Il suivit donc maître Gottlieb où maître Gottlieb, qui, comme nous l'avons dit, marchait devant lui, voulut le mener.

Maître Gottlieb s'arrêta dans un grand cabinet plein de partitions empilées et de feuilles de musique volantes: sur une table étaient dix ou douze boîtes plus ou moins ornées, ayant toutes cette forme à laquelle un musicien ne se trompe pas, c'est-à-dire la forme d'un étui de violon.

Pour le moment, maître Gottlieb était en train de disposer pour le théâtre de Mannheim, sur lequel il voulait faire un essai de musique italienne, le *Matrimonio segreto* de Cimarosa.

Un archet, comme la batte d'Arlequin, était passé dans sa ceinture, ou plutôt maintenu par le gousset boutonné de sa culotte, une plume se dressait fièrement derrière son oreille, et ses doigts étaient tachés d'encre.

De ces doigts tachés d'encre il prit la lettre que lui présentait Hoffmann, puis, jetant un coup d'œil sur l'adresse, et reconnaissant l'écriture:

—Ah! Zacharias Werner, dit-il, poète, poète celui-là, mais joueur. Puis, comme si la qualité corrigeait un peu le défaut, il ajouta: Joueur, joueur, mais poète.

Puis, décachetant la lettre:

—Parti, n'est-ce pas? parti!

—Il part, monsieur, en ce moment même.

—Dieu le conduise! ajouta Gottlieb en levant les yeux au ciel comme pour recommander son ami à Dieu. Mais il a bien fait de partir. Les voyages forment la jeunesse, et, si je n'avais pas voyagé, je ne connaîtrais pas, moi, l'immortel Pasiello, le divin Cimarosa.

—Mais, dit Hoffmann, vous n'en connaîtriez pas moins bien leurs œuvres, maître Gottlieb.

—Oui, leurs œuvres, certainement: mais qu'est-ce que connaître l'œuvre sans l'artiste? C'est connaître l'âme sans le corps; l'œuvre, c'est le spectre, c'est l'apparition; l'œuvre, c'est ce qui reste de nous après notre mort. Mais le corps, voyez-vous, c'est ce qui a vécu: vous ne comprendrez jamais entièrement l'œuvre d'un homme si vous n'avez pas connu l'homme lui-même.

Hoffmann fit un signe de la tête.

—C'est vrai, dit-il, et je n'ai jamais apprécié complètement Mozart qu'après avoir vu Mozart.

—Oui, oui, dit Gottlieb, Mozart a du bon; mais pourquoi a-t-il du bon? parce qu'il a voyagé en Italie. La musique allemande, jeune homme, c'est la musique des hommes; mais retenez bien ceci, la musique italienne, c'est la musique des dieux.

—Ce n'est pourtant pas, reprit Hoffmann en souriant, ce n'est pourtant pas en Italie que Mozart a fait *le Mariage de Figaro* et *Don Juan*, puisqu'il a fait l'un à Vienne pour l'empereur, et l'autre à Prague pour le théâtre italien.

—C'est vrai, jeune homme, c'est vrai, et j'aime à voir en vous cet esprit national qui vous fait défendre Mozart. Oui, certainement, si le pauvre diable eût vécu, et s'il eût fait encore un ou deux voyages en Italie, c'eût été un maître, un très grand maître. Mais ce *Don Juan*, dont vous parlez, ce *Mariage de Figaro*, dont vous parlez, sur quoi les a-t-il faits? Sur des libretti italiens, sur des paroles italiennes, sous un reflet du soleil de Bologne, de Rome ou de Naples. Croyez-moi, jeune homme, ce soleil, il faut l'avoir vu, l'avoir senti, pour l'apprécier à sa valeur. Tenez, moi, j'ai quitté l'Italie depuis quatre ans; depuis quatre ans je grelotte, excepté quand je pense à l'Italie; la pensée seule me réchauffe; je n'ai plus besoin de manteau quand je pense à l'Italie; je n'ai plus besoin d'habit, je n'ai plus besoin de calotte même. Le souvenir me ravive: ô musique de Bologne! ô soleil de Naples! oh!...

Et la figure du vieillard exprima un moment une béatitude suprême, et tout son corps parut frissonner d'une jouissance infinie, comme si les torrents du soleil méridional, inondant encore sa tête ruisselaient de son front chauve sur ses épaules, et de ses épaules sur toute sa personne.

Hoffmann se garda bien de le tirer de son extase, seulement il en profita pour regarder tout autour de lui, espérant toujours voir Antonia. Mais les portes étaient fermées et l'on n'entendait aucun bruit derrière aucune de ces portes qui y décelât la présence d'un être vivant.

Il lui fallut donc revenir à maître Gottlieb, dont l'extase se calmait peu à peu, et qui finit par en sortir avec une espèce de frissonnement.

—Brrrou! jeune homme, dit-il, et vous dites donc? Hoffmann tressaillit.

—Je dis, maître Gottlieb, que je viens de la part de mon ami Zacharias Werner, lequel m'a parlé de votre bonté pour les jeunes gens, et comme je suis musicien!

—Ah! vous êtes musicien!

Et Gottlieb se redressa, releva la tête, la renversa en arrière, et, à travers ses lunettes, momentanément posées sur les derniers confins de son nez, il regarda Hoffmann.

—Oui, oui, ajouta-t-il, tête de musicien, front de musicien, œil de musicien; et qu'êtes-vous? compositeur ou instrumentiste?

—L'un et l'autre, maître Gottlieb.

—L'un et l'autre! dit maître Gottlieb, l'un et l'autre! cela ne doute de rien, ces jeunes gens! Il faudrait toute la vie d'un homme, de deux hommes, de trois hommes pour être seulement l'un ou l'autre! et ils sont l'un et l'autre!

Et il fit un tour sur lui-même, levant les bras au ciel et ayant l'air d'enfoncer dans le parquet le tire-bouchon de sa jambe droite.

Puis, après la pirouette achevée s'arrêtant devant Hoffmann:

—Voyons, jeune présomptueux, dit-il, qu'as-tu fait en composition?

—Mais des sonates, des chants sacrés, des quintetti.

—Des sonates après Jean-Sébastien Bach! des chants sacrés après Pergolèse! des quintetti après François-Joseph Haydn! Ah! jeunesse! jeunesse!

Puis, avec un sentiment de profonde piété:

—Et comme instrumentiste, continua-t-il, comme instrumentiste, de quel instrument jouez-vous?

—De tous à peu près, depuis le rebec jusqu'au clavecin, depuis la viole d'amour jusqu'au théorbe; mais l'instrument dont je me suis particulièrement occupé, c'est le violon.

—En vérité, dit maître Gottlieb d'un air railleur, en vérité tu lui as fait cet honneur-là, au violon! C'est, ma foi! bien heureux pour lui, pauvre violon! Mais, malheureux! ajouta-t-il en revenant vers Hoffmann en sautillant sur une seule jambe pour aller plus vite, sais-tu ce que c'est que le violon? Le violon! et maître Gottlieb balança son corps sur cette seule jambe dont nous avons parlé, l'autre restant en l'air comme celle d'une grue; le violon! mais c'est le plus difficile de tous les instruments. Le violon a été inventé par Satan lui-même pour damner l'homme, quand Satan a perdu plus d'âmes qu'avec les sept péchés capitaux réunis. Il n'y a que l'immortel Tartini, Tartini, mon maître, mon héros, mon dieu! il n'y a que lui qui ait jamais atteint la perfection sur le violon; mais lui seul sait ce qu'il lui a coûté dans ce monde et dans l'autre pour avoir joué toute une nuit avec le violon du diable lui-même, et pour avoir gardé son archet. Oh! le violon! sais-tu, malheureux profanateur! que cet instrument cache sous sa simplicité presque misérable les plus inépuisables trésors d'harmonie qu'il soit possible à l'homme de boire à la coupe des dieux? As-tu étudié ce bois, ces cordes, cet archet, ce crin, ce crin surtout? espères-tu réunir, assembler, dompter sous tes doigts ce tout merveilleux, qui depuis deux siècles résiste aux efforts des plus savants, qui se plaint, qui gémit, qui se lamente sous leurs doigts, et qui n'a jamais chanté que sous les doigts de l'immortel Tartini, mon maître? Quand tu as pris un violon pour la première fois, as-tu bien pensé à ce que tu faisais, jeune homme! Mais tu n'es pas le premier, ajouta maître Gottlieb avec un soupir tiré du plus profond de ses entrailles, et tu ne seras pas le dernier que le violon aura perdu; violon, tentateur éternel! d'autres que toi aussi ont cru à leur vocation, et ont perdu leur vie à racler le boyau, et tu vas augmenter le nombre de ces malheureux, si nombreux, si inutiles à la société, si insupportables à leurs semblables.

Puis, tout à coup, et sans transition aucune, saisissant un violon et un archet comme un maître d'escrime prend deux fleurets, et les présentant à Hoffmann:

—Eh bien! dit-il d'un air de défi, joue-moi quelque chose: voyons, joue, et je te dirai où tu en es, et, s'il est encore temps de te retirer du précipice, je t'en tirerai, comme j'en ai tiré le pauvre Zacharias Werner. Il en jouait aussi, lui, du violon; il en jouait avec fureur, avec rage. Il rêvait des miracles, mais je lui ai ouvert l'intelligence. Il brisa son violon en morceaux, et il en fit un feu. Puis je lui mis une basse entre les mains, et cela acheva de le calmer. Là, il y avait de la place pour ses longs doigts maigres. Au commencement, il leur faisait faire dix heures à l'heure, et maintenant, maintenant, il joue suffisamment de la basse pour souhaiter la fête à son oncle, tandis qu'il n'eût jamais joué du violon que pour souhaiter la fête au diable. Allons, allons, jeune homme, voici un violon, montre-moi ce que tu sais faire.

Hoffmann prit le violon et l'examina.

—Oui, oui, dit maître Gottlieb, tu examines de qui il est, comme le gourmet flaire le vin qu'il va boire. Pince une corde, une seule, et si ton oreille ne te dit pas le nom de celui qui a fait le violon, tu n'es pas digne de le toucher.

Hoffmann pinça une corde, qui rendit un son vibrant, prolongé, frémissant.

—C'est un *Antonio Stradivarius*.

—Allons, pas mal; mais de quelle époque de la vie de Stradivarius? Voyons un peu; il en a fait beaucoup de violons de 1698 à 1728.

—Ah! quant à cela, dit Hoffmann, j'avoue mon ignorance, et il me semble impossible....

—Impossible, blasphémateur! impossible! c'est comme si tu me disais, malheureux, qu'il est impossible de reconnaître l'âge du vin en le goûtant. Écoute bien: aussi vrai que nous sommes aujourd'hui le 10 mai 1793, ce violon a été fait pendant le voyage que l'immortel Antonio fit de Crémone à Mantoue en 1705, et où il laissa son atelier à son premier élève. Aussi, vois-tu, ce Stradivarius-là, je suis bien aise de te le dire, n'est que de troisième ordre; mais j'ai bien peur que ce ne soit encore trop bon pour un pauvre écolier comme toi. Ça va, va!

Hoffmann épaula le violon, et, non sans un vif battement de cœur, commença les variations sur le thème de *Don Juan*:

«*La ci darem' la mano*».

Maître Gottlieb était debout près d'Hoffmann, battant à la fois la mesure avec sa tête et avec le bout du pied de sa jambe torse. À mesure qu'Hoffmann jouait, sa figure s'animait, ses yeux brillaient, sa mâchoire supérieure mordait la lèvre inférieure, et, aux deux côtés de cette lèvre aplatie, sortaient deux dents, que dans la position ordinaire elle était destinée à cacher, mais qui en ce moment se dressaient comme deux défenses de sanglier. Enfin, un allégro, dont Hoffmann triompha assez vigoureusement, lui attira de la part de maître Gottlieb un mouvement de tête qui ressemblait à un signe d'approbation.

Hoffmann finit par un démanché qu'il croyait des plus brillants, mais qui, loin de satisfaire le vieux musicien, lui fit faire une affreuse grimace.

Cependant sa figure se rasséréna peu à peu, et frappant sur l'épaule du jeune homme:

—Allons, allons, dit-il, c'est moins mal que je ne croyais; quand tu auras oublié tout ce que tu as appris, quand tu ne feras plus de ces bonds à la mode, quand tu ménageras ces traits sautillants et ces démanchés criards, on fera quelque chose de toi.

Cet éloge, de la part d'un homme aussi difficile que le vieux musicien, ravit Hoffmann, puis il n'oubliait pas, tout noyé qu'il était dans l'océan musical, que maître Gottlieb était le père de la belle Antonia.

Aussi, prenant au bond les paroles qui venaient de tomber de la bouche du vieillard:

—Et qui se chargera de faire quelque chose de moi? demanda-t-il, est-ce vous, maître Gottlieb?

—Pourquoi pas, jeune homme? pourquoi pas, si tu veux écouter le vieux Murr?

—Je vous écouterai, maître, et tant que vous voudrez.

—Oh! murmura le vieillard avec mélancolie, car son regard se rejetait dans le passé, car sa mémoire remontait les ans révolus, c'est que j'en ai bien connu des virtuoses! J'ai connu Corelli, par tradition, c'est vrai; c'est lui qui a ouvert la route, qui a frayé le chemin; il faut jouer à la manière de Tartini ou y renoncer. Lui, le premier, il a deviné que le violon était, sinon un dieu, du moins le temple d'où un dieu pouvait sortir. Après lui vient Pugnani, violon passable, intelligent, mais mou, trop mou, surtout dans certains *appoggiamenti*; puis Germiniani, vigoureux celui-là, mais vigoureux par boutades, sans transition; j'ai été à Paris exprès pour le voir, comme tu veux, toi, aller à Paris pour voir l'Opéra: un maniaque, mon ami, un somnambule, mon ami, un homme qui gesticulait en rêvant, entendant assez bien le *tempo rubato*, fatal *tempo rubato*, qui tue plus d'instrumentistes que la petite vérole, que la fièvre jaune, que la peste! Alors je lui jouai mes sonates à la manière de l'immortel Tartini, mon maître, et alors il avoua son erreur. Malheureusement l'élève était enfoncé jusqu'au cou dans sa méthode. Il avait soixante et onze ans, le pauvre enfant! Quarante ans plus tôt, je l'eusse sauvé, comme Giardini; celui-là je l'avais pris à temps, mais malheureusement il était incorrigible; le diable en personne s'était emparé de sa main gauche, et alors il allait, il allait, il allait un tel train, que sa main droite ne pouvait pas le suivre. C'étaient des extravagances, des sautillements, des démanchés à donner la danse de Saint-Guy à un Hollandais. Aussi, un jour qu'en présence de Jomelli il gâtait un morceau magnifique, le bon Jomelli, qui était le plus brave homme du monde, lui allongea-t-il un rude soufflet, que Giardini en eut la joue enflée pendant un mois, Jomelli le poignet luxé pendant trois semaines. C'est comme Lulli, un fou, un véritable fou, un danseur de corde, un faiseur de sauts périlleux, un équilibriste sans balancier et auquel on devrait mettre dans la main un balancier au lieu d'un archet. Hélas! hélas! hélas! s'écria douloureusement le vieillard, je le dis avec un profond désespoir, avec Nardini et avec moi s'éteindra le bel art de jouer du violon: cet art avec lequel maître à tous, Orpheus, attirait les animaux, remuait les pierres et bâtissait les villes. Au lieu de bâtir comme le violon divin, nous démolissons comme les trompettes maudites. Si les Français entrent jamais en Allemagne, ils n'auront pour faire tomber les murailles de Philippsbourg, qu'ils ont assiégé tant de fois, ils n'auront qu'à faire exécuter, par quatre violons de ma connaissance, un concert devant ses portes.

Le vieillard reprit haleine et ajouta d'un ton plus doux:

—Je sais bien qu'il y a Viotti, un de mes élèves, un enfant plein de bonnes dispositions, mais impatient, mais dévergondé, mais sans règle. Quant à Giarnowicki, c'est un fat et un ignorant, et la première chose que j'ai dite à ma vieille Lisbeth, c'était, si elle entendait jamais ce nom-là prononcé à ma porte, de fermer ma porte avec acharnement. Il y a trente ans que Lisbeth est avec moi, eh bien, je vous le dis, jeune homme, je chasse Lisbeth si elle laisse entrer chez moi Giarnowicki; un Sarmate, un Welche, qui s'est permis de dire du mal du maître des maîtres, de l'immortel Tartini. Oh! à celui qui m'apportera la tête de Giarnowicki, je promets des leçons et des conseils tant qu'il en voudra. Quant à toi, mon garçon, continua le vieillard en revenant à Hoffmann, quant à toi, tu n'es pas fort; c'est vrai; mais Rode et Kreutzer, mes élèves, n'étaient pas plus forts que toi; quant à toi je disais donc qu'en venant chercher maître Gottlieb, qu'en t'adressant à maître Gottlieb, qu'en te faisant recommander à lui par un homme qui le connaît et qui l'apprécie, par ce fou de Zacharie Werner, tu prouves qu'il y a dans cette poitrine là un cœur d'artiste. Aussi maintenant, jeune homme, voyons, ce n'est plus un *Antonio Stradivarius* que je veux mettre entre tes mains; non, ce n'est même plus un *Gramulo*, ce vieux maître que l'immortel Tartini estimait si fort qu'il ne jouait jamais que sur des *Gramulo*; non, c'est sur un *Antonio Amati*, c'est sur l'aïeul, c'est sur l'ancêtre, c'est sur la tige première de tous les violons qui ont été faits, c'est sur l'instrument qui sera la dot de ma fille Antonia, que je veux t'entendre. C'est l'arc d'Ulysse, vois-tu, et qui pourra bander l'arc d'Ulysse est digne de Pénélope.

Et alors le vieillard ouvrit la boîte de velours toute galonnée d'or, et en tira un violon comme il semblait qu'il ne dût jamais avoir existé de violons, et comme Hoffmann seul peut-être se rappelait en avoir vu dans les concerts fantastiques de ses grands-oncles et de ses grandes-tantes.

Puis il s'inclina sur l'instrument vénérable, et le présentant à Hoffmann:

—Prends, dit-il, et tâche de ne pas être trop indigne de lui.

Hoffmann s'inclina, prit l'instrument avec respect, et commença une vieille étude de Jean-Sébastien Bach.

—Bach, Bach, murmura Gottlieb; passe encore pour l'orgue, mais il n'entendait rien au violon. N'importe.

Au premier son qu'Hoffmann avait tiré de l'instrument, il avait tressailli, car lui, l'éminent musicien, il comprenait quel trésor d'harmonie on venait de mettre entre ses mains.

L'archet, semblable à un arc, tant il était courbé, permettait à l'instrumentiste d'embrasser les quatre cordes à la fois, et la dernière de ces cordes s'élevait à des tons célestes si merveilleux, que jamais Hoffmann n'avait pu songer qu'un son si divin s'éveillât sous une main humaine.

Pendant ce temps, le vieillard se tenait près de lui, la tête renversée en arrière, les yeux clignotants, disant pour tout encouragement:

—Pas mal, pas mal, jeune homme; la main droite, la main droite! la main gauche n'est que le mouvement, la main droite c'est l'âme. Allons, de l'âme! de l'âme! de l'âme!!!

Hoffmann sentait bien que le vieux Gottlieb avait raison, et il comprenait, comme il lui avait dit à la première épreuve, qu'il fallait désapprendre tout ce qu'il avait appris; et, par une transition insensible, mais soutenue, mais croissante, il passait du pianissimo au fortissimo, de la caresse à la menace, de l'éclair à la foudre, et il se perdait dans un torrent d'harmonie qu'il soulevait comme un nuage, et qu'il laissait retomber en cascades murmurantes, en perles liquides, en poussière humide, et il était sous l'influence d'une situation nouvelle, d'un état touchant à l'extase, quand tout à coup sa main gauche s'affaissa sur les cordes, l'archet mourut dans sa main, le violon glissa de sa poitrine, ses yeux devinrent fixes et ardents.

La porte venait de s'ouvrir, et dans la glace devant laquelle il jouait, Hoffmann avait vu apparaître, pareille à une ombre évoquée par une harmonie céleste, la belle Antonia, la bouche entrouverte, la poitrine oppressée, les yeux humides.

Hoffmann jeta un cri de plaisir, et maître Gottlieb n'eut que le temps de retenir le vénérable *Antonio Amati*, qui s'échappait de la main du jeune instrumentiste.

CHAPITRE V

Antonia.

Antonia avait paru mille fois plus belle encore à Hoffmann, au moment où il lui avait vu ouvrir la porte et en franchir le seuil, qu'au moment où il lui avait vu descendre les degrés de l'église.

C'est que, dans la glace où la jeune fille venait de réfléchir son image et qui était à deux pas seulement d'Hoffmann, Hoffmann avait pu rétablir d'un seul coup d'œil toutes les beautés qui lui avaient échappé à distance.

Antonia avait dix-sept ans à peine; elle était de taille moyenne, plutôt grande que petite, mais si mince sans maigreur, si flexible sans faiblesse, que toutes les comparaisons de lis se balançant sur leur tige, de palmier se courbant au vent, eussent été insuffisantes pour peindre cette *morbidezza* italienne, seul mot de la langue exprimant à peu près l'idée de douce langueur qui s'éveillait à son aspect. Sa mère était, comme Juliette, une des plus belles fleurs du printemps de Vérone, et l'on retrouvait dans Antonia, non pas fondues, mais heurtées, et c'est ce qui faisait le charme de cette jeune fille, les beautés des deux races qui se disputent la palme de la beauté. Ainsi, avec la finesse de peau des femmes du Nord, elle avait la matité de peaux des femmes du Midi; ainsi ses cheveux blonds, épais et légers à la fois, flottant au moindre vent, comme une vapeur dorée, ombrageaient des yeux et des sourcils de velours noir. Puis, chose singulière encore, c'était dans sa voix surtout que le mélange harmonieux des deux langues était sensible. Aussi, lorsque Antonia parlait allemand, la douceur de la belle langue où, comme dit Dante, résonne le si, venait adoucir la rudesse de l'accent germanique, tandis qu'au contraire, quand elle parlait italien, la langue un peu trop molle de Métastase et de Goldoni prenait une fermeté qui lui donnait la puissante accentuation de la langue de Schiller et de Goethe.

Mais ce n'était pas seulement au physique que se faisait remarquer cette fusion; Antonia était au moral un type merveilleux et rare de ce que peuvent réunir de poésie opposée le soleil de l'Italie et les brumes de l'Allemagne. On eût dit à la fois une muse et une fée, la Lorelei de la ballade et la Béatrice de *La Divine Comédie*.

C'est qu'Antonia, l'artiste par excellence, était fille d'une grande artiste. Sa mère, habituée à la musique italienne, s'était un jour prise corps à corps avec la musique allemande. La partition de *l'Alceste* de Gluck lui était tombée entre les mains, et elle avait obtenu de son mari, maître Gottlieb, de lui faire traduire le poème en italien, et, le poème traduit en italien, elle était venue le chanter à Vienne; mais elle avait trop présumé de ses forces, ou plutôt, l'admirable cantatrice, elle ne connaissait pas la mesure de sa sensibilité. À la troisième représentation de l'opéra qui avait eu le plus grand succès, à l'admirable solo d'*Alceste:*

> *Divinités du Styx, ministres de la mort,*
> *Je n'invoquerai pas votre pitié réelle.*
> *J'enlève un tendre époux à son funeste sort,*
> *Mais je vous abandonne une épouse fidèle.*

quand elle atteignit le *ré*, qu'elle donna à pleine poitrine, elle pâlit, chancela, s'évanouit; un vaisseau s'était brisé, dans cette poitrine si généreuse: le sacrifice aux dieux infernaux s'était accompli en réalité: la mère d'Antonia était morte.

Le pauvre maître Gottlieb dirigeait l'orchestre; de son fauteuil, il vit chanceler, pâlir, tomber celle qu'il aimait par-dessus toute chose; bien plus, il entendit se briser dans sa poitrine cette fibre à laquelle tenait sa vie, et il jeta un cri terrible qui se mêla au dernier soupir de la virtuose.

De là venait peut-être cette haine de maître Gottlieb pour les maîtres allemands; c'était le chevalier Gluck qui, bien innocemment, avait tué sa Térésa, mais il n'en voulait pas moins au chevalier Gluck mal de mort, pour cette douleur profonde qu'il avait ressentie, et qui ne s'était calmée qu'au fur et à mesure qu'il avait reporté sur Antonia grandissante tout l'amour qu'il avait pour sa mère.

Maintenant, à dix-sept ans qu'elle avait, la jeune fille en était arrivée à tenir lieu de tout au vieillard; il vivait par Antonia, il respirait par Antonia. Jamais l'idée de la mort d'Antonia ne s'était présentée à son esprit; mais, si elle se fût présentée, il ne s'en serait pas fort inquiété, attendu que l'idée ne lui fût pas même venue qu'il pouvait survivre à Antonia.

Ce n'était donc pas avec un sentiment moins enthousiaste qu'Hoffmann, quoique ce sentiment fût bien autrement pur encore, qu'il avait vu apparaître Antonia sur le seuil de la porte de son cabinet.

La jeune fille s'avança lentement; deux larmes brillaient à sa paupière; et, faisant trois pas vers Hoffmann, elle lui tendit la main.

Puis, avec un accent de chaste familiarité, et comme si elle eût connu le jeune homme depuis dix ans:

—Bonjour, frère, dit-elle.

Maître Gottlieb, du moment où sa fille avait paru, était resté muet et immobile; son âme, comme toujours, avait quitté son corps, et, voltigeant autour d'elle, chantait aux oreilles d'Antonia toutes les mélodies d'amour et de bonheur que chante l'âme d'un père à la vue de sa fille bien-aimée.

Il avait donc posé son cher *Antonio Amati* sur la table, et, joignant les deux mains comme il eût fait devant la Vierge, il regardait venir son enfant.

Quant à Hoffmann, il ne savait s'il veillait ou dormait, s'il était sur la terre ou au ciel, si c'était une femme qui venait à lui, ou un ange qui lui apparaissait.

Aussi fit-il presque un pas en arrière lorsqu'il vit Antonia s'approcher de lui et lui tendre la main en l'appelant son frère.

—Vous, ma sœur! dit-il d'une voix étouffée.

—Oui, dit Antonia: ce n'est pas le sang qui fait la famille, c'est l'âme. Toutes les fleurs sont sœurs par le parfum, tous les artistes sont frères par l'art. Je ne vous ai jamais vu, c'est vrai, mais je vous connais; votre archet vient de me raconter votre vie. Vous êtes poète, un peu fou, pauvre ami! Hélas, c'est cette étincelle ardente que Dieu enferme dans notre tête ou dans notre poitrine qui nous brûle le cerveau ou qui nous consume le cœur.

Puis, se tournant vers maître Gottlieb:

—Bonjour, père, dit-elle; pourquoi n'avez-vous pas encore embrassé votre Antonia? Ah! voilà, je comprends, *Il Matrimonio segreto*, le *Stabat mater*. Cimarosa, Pergolèse? Porpora! qu'est-ce qu'Antonia auprès de ces grands génies, une pauvre enfant qui vous aime, mais que vous oubliez pour eux.

—Moi, t'oublier! s'écria Gottlieb, le vieux Murr oublier Antonia! Le père oublier sa fille! Pourquoi! pour quelques méchantes notes de musique, pour un assemblage de rondes et de croches, de noires et de blanches, de dièses et de bémols! Ah bien oui! regarde comme je t'oublie!

En tournant sur sa jambe torse avec une agilité étonnante, de son autre jambe et de ses deux mains le vieillard fit voler les parties d'orchestration *del Matrimonio segreto* toutes prêtes à être distribuées aux musiciens de l'orchestre.

—Mon père! mon père! dit Antonia.

—Du feu! du feu! cria maître Gottlieb, du feu, que je brûle tout cela; du feu, que je brûle Pergolèse! du feu, que je brûle Cimarosa! du feu, que je brûle Pasiello! du feu, que je brûle mes *Stradivarius*!

mes *Gramulo*! du feu, que je brûle mon *Antonio Amati*! Ma fille, mon Antonia n'a-t-elle pas dit que j'aimais mieux des cordes, du bois et du papier, que ma chair et mon sang! Du feu! du feu! du feu!!!

Et le vieillard s'agitait comme un fou et sautait sur sa jambe comme le diable boiteux, faisait aller ses bras comme un moulin à vent.

Antonia regardait cette folie du vieillard avec ce doux sourire d'orgueil filial satisfait. Elle savait bien, elle qui n'avait jamais fait de coquetterie qu'avec son père, elle savait bien qu'elle était toute-puissante sur le vieillard, que son cœur était un royaume où elle régnait en souveraine absolue. Aussi arrêta-t-elle le vieillard au milieu de ses évolutions, et l'attirant à elle, déposa-t-elle un simple baiser sur son front.

Le vieillard jeta un cri de joie, prit sa fille dans ses bras, l'enleva comme il eût fait d'un oiseau, et alla s'abattre, après avoir tourné trois ou quatre fois sur lui-même, sur un grand canapé où il commença de la bercer comme une mère fait de son enfant.

D'abord Hoffmann avait regardé maître Gottlieb avec effroi; en lui voyant jeter les partitions en l'air, en lui voyant enlever sa fille entre ses bras, il l'avait cru fou furieux enragé. Mais, au sourire paisible d'Antonia, il s'était promptement rassuré, et, ramassant respectueusement les partitions éparses, il les replaçait sur les tables et sur les pupitres, tout en regardant du coin de l'œil ce groupe étrange, où le vieillard lui-même avait sa poésie.

Tout à coup, quelque chose de doux, de suave, d'aérien, passa dans l'air, c'était une vapeur, c'était une mélodie, c'était quelque chose de plus divin encore: c'était la voix d'Antonia qui attaquait, avec sa fantaisie d'artiste, cette merveilleuse composition de Stradella qui avait sauvé la vie à son auteur, le *Pieta, Signore*.

Aux premières vibrations de cette voix d'ange, Hoffmann demeura immobile, tandis que le vieux Gottlieb, soulevant doucement sa fille de dessus ses genoux, la déposait, toute couchée comme elle était, sur le canapé; puis courant à son *Antonio Amati*, et accordant l'accompagnement avec les paroles, commença de son côté à faire passer l'harmonie de son archet sous le chant d'Antonia, et à le soutenir comme un ange soutient l'âme qu'il porte au ciel.

La voix d'Antonia était une voix de soprano, possédant toute l'étendue que la prodigalité divine peut donner, non pas à une voix de femme, mais à une voix d'ange. Antonia parcourait cinq octaves et demie; elle donnait avec la même facilité le contre-ut, cette note divine qui semble n'appartenir qu'aux concerts célestes, et l'ut de la cinquième octave des notes basses. Jamais Hoffmann n'avait entendu rien de si velouté que ces quatre premières mesures chantées sans accompagnement, *Pieta, Signore, di me dolente*. Cette aspiration de l'âme souffrante vers Dieu, cette prière ardente au Seigneur d'avoir pitié de cette souffrance qui se lamente, prenaient dans la bouche d'Antonia un pressentiment de respect divin qui ressemblait à la terreur. De son côté l'accompagnement, qui avait reçu la phrase flottant entre le ciel et la terre, qui l'avait, pour ainsi dire, prise entre ses bras, après le *la* expiré, et qui, *piano, piano*, répétait comme un écho de la plainte, l'accompagnement était en tout digne de la voix lamentable, et douloureux comme elle. Il disait, lui, non pas en italien, non pas en allemand, non pas en français, mais dans cette langue universelle qu'on appelle la musique:

«*Pitié, Seigneur, pitié de moi, malheureuse, pitié, Seigneur, et, si ma prière arrive à toi, que la rigueur se désarme et que tes regards se retournent vers moi moins sévères et plus cléments!*»

Et cependant, tout en suivant, tout en emboîtant la voix, l'accompagnement lui laissait toute sa liberté, toute son étendue; c'était une caresse et non pas une étreinte, un soutien et non une gêne; et quand, au premier *sforzando*, c'est-à-dire quand, lassée de l'effort, la voix retomba comme pour essayer de monter au ciel, l'accompagnement parut craindre alors de lui peser comme une chose terrestre, et l'abandonna presque aux ailes de la foi, pour ne la soutenir qu'au *mi* bécarre, c'est-à-dire au *diminuendo*, c'est-à-dire quand, lassée de l'effort, la voix retomba *do*, quand, sur le *ré* et les deux*fa*, la voix se souleva comme affaissée sur elle-même, et, pareille à la madone de Canova, à genoux, assise sur ses genoux, et chez laquelle tout plie, âme et corps, affaissés sous ce doute terrible que la miséricorde du Créateur soit assez grande pour oublier la faute de la créature.

Puis, quand d'une voix tremblante elle continua: *Qu'il n'arrive jamais que je sois damnée et précipitée dans le feu éternel de ta vigueur, ô grand Dieu*! Alors l'accompagnement se hasarda à mêler sa voix à la voix frémissante qui, entrevoyant les flammes éternelles, priait le Seigneur de l'en éloigner. Alors l'accompagnement pria de son côté, supplia, gémit, monta avec elle jusqu'au *fa*, descendit avec elle jusqu'à l'*ut*, l'accompagnant dans sa faiblesse, la soutenant dans sa terreur; puis, tandis que haletante et sans force, la voix mourait dans les profondeurs de la poitrine d'Antonia, l'accompagnement continua seul après la voix éteinte, comme après l'âme envolée et déjà sur la route du ciel, continuent murmurantes et plaintives les prières des survivants.

Alors aux supplications du violon de maître Gottlieb commença de se mêler une harmonie inattendue, douce et puissante à la fois, presque céleste. Antonia se souleva sur son coude, maître Gottlieb se tourna à moitié et demeura l'archet suspendu sur les cordes de son violon. Hoffmann, d'abord étourdi, enivré, en délire, avait compris qu'aux élancements de cette âme il fallait un peu d'espoir, et qu'elle se briserait si un rayon divin ne lui montrait le ciel, et il s'était élancé vers un orgue, et il avait étendu ses dix doigts sur les touches frémissantes, et l'orgue, poussant un long soupir, venait de se mêler au violon de Gottlieb et à la voix d'Antonia.

Alors ce fut une chose merveilleuse que ce retour du motif *Pieta, Signore*, accompagné par cette voix d'espoir, au lieu d'être poursuivi comme dans la prière partie par la terreur, et quand, pleine de foi dans son génie comme dans sa prière, Antonia attaqua avec toute la vigueur de sa voix, le *fa* du *volgi*, un frisson passa dans les veines d'Hoffmann, qui, écrasant l'*Antonio Amati* sous les torrents d'harmonie qui s'échappaient de son orgue, continua la voix d'Antonia après qu'elle eut expiré, et sur les ailes, non plus d'un ange, mais d'un ouragan, sembla porter le dernier soupir de cette âme aux pieds du Seigneur tout-puissant et tout miséricordieux.

Puis il se fit un moment de silence; tous trois se regardèrent, et leurs mains se joignirent dans une étreinte fraternelle, comme leurs âmes s'étaient jointes dans une commune harmonie.

Et, à partir de ce moment, ce fut non seulement Antonia qui appela Hoffmann son frère, mais le vieux Gottlieb Murr qui appela Hoffmann son fils!

CHAPITRE VI.

Le serment.

Peut-être le lecteur se demandera-t-il, ou plutôt nous demandera-t-il, comment, la mère d'Antonia étant morte en chantant, maître Gottlieb Murr permettait que sa fille, c'est-à-dire que cette âme de son âme, courût le risque d'un danger semblable à celui auquel avait succombé la mère.

Et d'abord, quand il avait entendu Antonia essayer son premier chant, le pauvre père avait tremblé comme la feuille près de laquelle chante un oiseau. Mais c'était un véritable oiseau qu'Antonia, et le vieux musicien s'aperçut bientôt que le chant était sa langue naturelle, aussi Dieu, en lui donnant une voix si étendue qu'elle n'avait peut-être pas son égale au monde, avait-il indiqué que sous ce rapport maître Gottlieb n'avait du moins rien à craindre: en effet, quand à ce don naturel du chant était jointe l'étude de la musique, quand les difficultés les plus exagérées du solfège avaient été mises sous les yeux de la jeune fille et vaincues aussitôt avec une merveilleuse facilité, sans grimaces, sans efforts, sans une seule corde au cou, sans un seul clignotement d'yeux, il avait compris la perfection de l'instrument, et, comme Antonia, en chantant les morceaux notés pour les voix les plus hautes, restait toujours en deçà de ce qu'elle pouvait faire, il s'était convaincu qu'il n'y avait aucun danger à laisser aller le doux rossignol au penchant de sa mélodieuse vocation.

Seulement maître Gottlieb avait oublié que la corde de la musique n'est pas la seule qui résonne dans le cœur des jeunes filles, et qu'il y a une autre corde bien autrement frêle, bien autrement vibrante, bien autrement mortelle: celle de l'amour!

Celle-là s'était éveillée chez la pauvre enfant au son de l'archet d'Hoffmann; inclinée sur sa broderie dans la chambre à côté de celle où se tenaient le jeune homme et le vieillard, elle avait relevé la tête au premier frémissement qui avait passé dans l'air. Elle avait écouté; puis peu à peu une sensation étrange avait pénétré dans son âme, avait couru en frissons inconnus dans ses veines. Elle s'était alors soulevée lentement, appuyant une main à sa chaise, tandis que l'autre laissait échapper la broderie de ses doigts entrouverts. Elle était restée un instant immobile; puis, lentement, elle s'était avancée vers la porte, et, comme nous l'avons dit, ombre évoquée de la vie matérielle, elle était apparue, poétique vision, à la porte du cabinet de maître Gottlieb Murr.

Nous avons vu comment la musique avait fondu à son ardent creuset ces trois âmes en une seule, et comment, à la fin du concert, Hoffmann était devenu commensal de la maison.

C'était l'heure où le vieux Gottlieb avait l'habitude de se mettre à table. Il invita Hoffmann à dîner avec lui, invitation qu'Hoffmann accepta avec la même cordialité qu'elle était faite.

Alors, pour quelques instants la belle et poétique vierge des cantiques divins se transforma en une bonne ménagère. Antonia versa le thé comme Clarisse Harlow, fit des tartines de beurre comme Charlotte, et finit par se mettre elle-même à table et par manger comme une simple mortelle.

Les Allemands n'entendent pas la poésie comme nous. Dans nos données de monde maniéré, la femme qui mange et qui boit se dépoétise. Si une jeune et jolie femme se met à table, c'est pour y fourrer ses gants, si toutefois elle ne conserve pas ses gants; si elle a une assiette, c'est pour y égrainer, à la fin du repas, une grappe de raisin, dont l'immatérielle créature consent parfois à sucer les grains les plus dorés, comme fait une abeille d'une fleur.

On comprend, d'après la façon dont Hoffmann avait été reçu chez maître Gottlieb, qu'il y revint le lendemain, le surlendemain et les jours suivants. Quant à maître Gottlieb, cette fréquence des visites d'Hoffmann ne paraissait aucunement l'inquiéter: Antonia était trop pure, trop chaste, trop confiante dans son père, pour que le soupçon vînt au vieillard que sa fille pût commettre une faute. Sa fille, c'était sainte Cécile, c'était la Vierge Marie, c'était un ange des cieux; l'essence divine l'emportait tellement en elle sur la matière terrestre, que le vieillard n'avait jamais jugé à propos de lui dire qu'il y avait plus de danger dans le contact de deux corps que dans l'union de deux âmes.

Hoffmann était donc heureux, c'est-à-dire aussi heureux qu'il est donné à une créature mortelle de l'être. Le soleil de la joie n'éclaire jamais entièrement le cœur, une tache sombre qui rappelle à l'homme que le bonheur complet n'existe pas en ce monde, mais seulement au ciel.

Mais Hoffmann avait un avantage sur le commun de l'espèce. Souvent l'homme ne peut pas expliquer la cause de cette douleur qui passe au milieu de son bien-être, de cette ombre qui se projette, obscure et noire, sur sa rayonnante félicité.

Hoffmann, lui, savait ce qui le rendait malheureux.

C'était cette promesse faite à Zacharias Werner d'aller le rejoindre à Paris; c'était ce désir étrange de visiter la France, qui s'effaçait dès qu'Hoffmann se trouvait en présence d'Antonia, mais qui reprenait tout le dessus aussitôt qu'Hoffmann se retrouvait seul; il y avait même plus: c'est qu'au fur et à mesure que le temps s'écoulait et que les lettres de Zacharias, réclamant la parole de son ami, étaient plus pressantes, Hoffmann s'attristait davantage.

En effet, la présence de la jeune fille n'était plus suffisante à chasser le fantôme qui poursuivait maintenant Hoffmann jusqu'aux côtés d'Antonia. Souvent, près d'Antonia, Hoffmann tombait dans une rêverie profonde. À quoi rêvait-il? à Zacharias Werner, dont il lui semblait entendre la voix. Souvent son œil, distrait d'abord, finissait par se fixer sur un point de l'horizon. Que voyait cet œil, ou plutôt que croyait-il voir? La route de Paris, puis, à un des tournants de cette route, Zacharias marchant devant lui et faisant signe de le suivre.

Peu à peu, le fantôme qui était apparu à Hoffmann à des intervalles rares et inégaux revint avec plus de régularité et finit par le poursuivre d'une obsession continuelle.

Hoffmann aimait Antonia de plus en plus. Hoffmann sentait qu'Antonia était nécessaire à sa vie, que c'était le bonheur de son avenir; mais Hoffmann sentait aussi qu'avant de se lancer dans ce bonheur, et pour que ce bonheur fût durable, il lui fallait accomplir le pèlerinage projeté, ou, sans cela, le désir renfermé dans son cœur, si étrange qu'il fût, le rongerait.

Un jour qu'assis près d'Antonia, pendant que maître Gottlieb notait dans son cabinet le *Stabat* de Pergolèse, qu'il voulait exécuter à la société philharmonique de Francfort, Hoffmann était tombé dans une de ses rêveries ordinaires, Antonia, après l'avoir regardé longtemps, lui prit les deux mains.

—Il faut y aller, mon ami, dit-elle.

Hoffmann la regarda avec étonnement.

—Y aller? répéta-t-il, et où cela?

—En France, à Paris.

—Et qui vous a dit, Antonia, cette secrète pensée de mon cœur, que je n'ose m'avouer à moi-même?

—Je pourrais m'attribuer près de vous le pouvoir d'une fée, Théodore, et vous dire: J'ai lu dans votre pensée, j'ai lu dans vos yeux, j'ai lu dans votre cœur; mais je mentirais. Non, je me suis souvenue, voilà tout.

—Et de quoi vous êtes-vous souvenue, ma bien-aimée Antonia?

—Je me suis souvenue que, la veille du jour où vous êtes venu chez mon père, Zacharias Werner y était venu et nous avait raconté votre projet de voyage, votre désir ardent de voir Paris; désir nourri depuis près d'un an, et tout prêt à s'accomplir. Depuis, vous m'avez dit ce qui vous avait empêché de partir. Vous m'avez dit comment, en me voyant pour la première fois, vous avez été pris de ce sentiment irrésistible dont j'ai été prise moi-même en vous écoutant, et maintenant il vous reste à me dire ceci: que vous m'aimez toujours autant.

Hoffmann fit un mouvement.

—Ne vous donnez pas la peine de me le dire, je le sais, continua Antonia, mais il y a quelque chose de plus puissant que cet amour, c'est le désir d'aller en France, de rejoindre Zacharias, de voir Paris enfin.

—Antonia! s'écria Hoffmann, tout est vrai dans ce que vous venez de dire, hors un point; c'est qu'il y avait quelque chose au monde de plus fort que mon amour! Non, je vous le jure, Antonia, ce désir-là, désir étrange auquel je ne comprends rien, je l'eusse enseveli dans mon cœur si vous ne l'en aviez tiré vous-même. Vous ne vous trompez donc pas. Antonia! Oui, il y a une voix qui m'appelle à Paris, une voix plus forte que ma volonté, et cependant, je vous le répète, à laquelle je n'eusse pas obéi; cette voix est celle de la destinée!

—Soit, accomplissons notre destinée, mon ami. Vous partirez demain. Combien voulez-vous de temps?

—Un mois, Antonia; dans un mois, je serai de retour.

—Un mois ne vous suffira pas, Théodore; en un mois vous n'aurez rien vu; je vous en donne deux; je vous en donne trois; je vous donne le temps que vous voudrez, enfin; mais j'exige une chose, ou plutôt deux choses de vous.

—Lesquelles, chère Antonia, lesquelles? dites vite.

—Demain, c'est dimanche; demain, c'est jour de messe; regardez par votre fenêtre comme vous avez regardé le jour du départ de Zacharias Werner, et, comme ce jour-là, mon ami, seulement plus triste, vous me verrez monter les degrés de l'église; alors venez me rejoindre à ma place accoutumée, alors asseyez-vous près de moi, et, au moment où le prêtre consacrera le sang de Notre-Seigneur, vous me ferez deux serments, celui de me demeurer fidèle, celui de ne plus jouer.

—Oh! tout ce que vous voudrez, à l'instant même, chère Antonia! je vous jure....

—Silence, Théodore, vous jurerez demain.

—Antonia, Antonia, vous êtes un ange!

—Au moment de nous séparer, Théodore, n'avez-vous pas quelque chose à dire à mon père?

—Oui, vous avez raison. Mais, en vérité, je vous avoue, Antonia, que j'hésite, que je tremble. Mon Dieu! que suis-je donc pour oser espérer?

—Vous êtes l'homme que j'aime, Théodore. Allez trouver mon père, allez.

Et, faisant à Hoffmann un signe de la main, elle ouvrit la porte d'une petite chambre transformée par elle en oratoire.

Hoffmann la suivit des yeux jusqu'à ce que la porte fût refermée, et, à travers la porte, il lui envoya, avec tous les baisers de sa bouche, tous les élans de son cœur.

Puis il entra dans le cabinet de maître Gottlieb.

Maître Gottlieb était si bien habitué au pas d'Hoffmann, qu'il ne souleva même pas les yeux de dessus le pupitre où il copiait le *Stabat*. Le jeune homme entra et se tint debout derrière lui.

Au bout d'un instant, maître Gottlieb n'entendant plus rien, même la respiration du jeune homme, maître Gottlieb se retourna.

—Ah! c'est toi, garçon, dit-il en renversant sa tête en arrière pour arriver à regarder Hoffmann à travers ses lunettes. Que viens-tu me dire?

Hoffmann ouvrit la bouche, mais il la referma sans avoir articulé un son.

—Es-tu devenu muet? demanda le vieillard; peste! ce serait malheureux; un gaillard qui en découd comme toi lorsque tu t'y mets ne peut pas perdre la parole comme cela, à moins que ce ne soit par punition d'en avoir abusé!

—Non, maître Gottlieb, non je n'ai point perdu la parole, Dieu merci! Seulement, ce que j'ai à vous dire....

—Eh bien!

—Eh bien!... me semble chose difficile.

—Bah! est-ce donc bien difficile que de dire: maître Gottlieb, j'aime votre fille?

—Vous savez cela, maître Gottlieb?

—Ah ça! mais je serais bien fou, ou plutôt bien sot, si je ne m'en étais pas aperçu, de ton amour.

—Et cependant, vous avez permis que je continuasse de l'aimer.

—Pourquoi pas? puisqu'elle t'aime.

—Mais, maître Gottlieb, vous savez que je n'ai aucune fortune.

—Bah! les oiseaux du ciel ont-ils une fortune? Ils chantent, ils s'accouplent, ils bâtissent un nid, et Dieu les nourrit. Nous autres artistes, nous ressemblons fort aux oiseaux; nous chantons et Dieu vient à notre aide. Quand le chant ne suffira pas, tu te feras musicien. Je n'étais pas plus riche que toi quand j'ai épousé ma pauvre Térésa; eh bien! ni le pain, ni l'abri ne nous ont jamais fait faute. J'ai toujours eu besoin d'argent, et je n'en ai jamais manqué. Es-tu riche d'amour? voilà tout ce que je te demande; mérites-tu le trésor que tu convoites? voilà tout ce que je désire savoir. Aimes-tu Antonia plus que ta vie, plus que ton âme? alors je suis tranquille, Antonia ne manquera jamais de rien. Ne l'aimes-tu point? c'est autre chose; eusses-tu cent mille livres de rentes elle manquera toujours de tout.

Hoffmann était près de s'agenouiller devant cette adorable philosophie de l'artiste. Il s'inclina sur la main du vieillard, qui l'attira à lui et le pressa contre son cœur.

—Allons, allons, lui dit-il, c'est convenu; fais ton voyage, puisque la rage d'entendre cette horrible musique de M. Méhul et de M. Dalayrac te tourmente; c'est une maladie de la jeunesse qui sera vite guérie. Je suis tranquille; fais ce voyage, mon ami, et reviens ici, tu y retrouveras Mozart, Beethoven, Cimarosa, Pergolèse, Pasiello, le Porpora, et, de plus, maître Gottlieb et sa fille, c'est-à-dire un père et une femme. Va, mon enfant, va.

Et maître Gottlieb embrassa de nouveau Hoffmann, qui, voyant venir la nuit, jugea qu'il n'avait pas de temps à perdre, et se retira chez lui pour faire ses préparatifs de départ.

Le lendemain, dès le matin, Hoffmann était à sa fenêtre.

Au fur et à mesure que le moment de quitter Antonia approchait, cette séparation lui semblait de plus en plus impossible. Toute cette ravissante période de sa vie qui venait de s'écouler, ces sept mois qui avaient passé comme un jour et qui se représentaient à sa mémoire, tantôt comme un vaste horizon qu'il embrassait d'un coup d'œil, tantôt comme une série de jours joyeux, venaient les uns après les autres, souriants, couronnés de fleurs; ces doux chants d'Antonia, qui lui avaient fait un air tout semé de douces mélodies; tout cela était un trait si puissant, qu'il luttait presque avec l'inconnu, ce merveilleux enchanteur qui attire à lui les cœurs les plus forts, les âmes les plus froides.

À dix heures, Antonia parut au coin de la rue où, à pareille heure, sept mois auparavant, Hoffmann l'avait vue pour la première fois. La bonne Lisbeth la suivait comme de coutume, toutes deux montèrent les degrés de l'église. Arrivée au dernier degré, Antonia se retourna, aperçut Hoffmann, lui fit de la main un signe d'appel et entra dans l'église.

Hoffmann s'élança hors de la maison et y entra après elle.

Antonia était déjà agenouillée et en prière.

Hoffmann était protestant, et ces chants dans une autre langue lui avaient toujours paru assez ridicules; mais lorsqu'il entendit Antonia psalmodier ce chant d'église si doux et si large à la fois, il regretta de ne pas en savoir les paroles pour mêler sa voix à la voix d'Antonia, rendue plus suave encore par la profonde mélancolie à laquelle la jeune fille était en proie.

Pendant tout le temps que dura le saint sacrifice, elle chanta de la même voix dont là-haut doivent chanter les anges; puis enfin, quand la sonnette de l'enfant de chœur annonça la consécration de l'hostie, au moment où les fidèles se courbaient devant le Dieu qui, aux mains du prêtre, s'élevait au-dessus de leurs têtes, seule Antonia redressa son front.

—Jurez, dit-elle.

—Je jure, dit Hoffmann d'une voix tremblante, je jure de renoncer au jeu.

—Est-ce le seul serment que vous vouliez me faire, mon ami?

—Oh! non, attendez. Je jure de vous rester fidèle de cœur et d'esprit, de corps et d'âme.

—Et sur quoi jurez-vous cela?

—Oh! s'écria Hoffmann, au comble de l'exaltation, sur ce que j'ai de plus cher, sur ce que j'ai de plus sacré, sur votre vie!

—Merci! s'écria à son tour Antonia, car si vous ne tenez pas votre serment, je mourrai.

Hoffmann tressaillit, un frisson passa par tout son corps, il ne se repentit pas, seulement, il eut peur. Le prêtre descendait les degrés de l'autel, emportant le Saint Sacrement dans la sacristie.

Au moment où le corps divin de Notre-Seigneur passait, elle saisit la main d'Hoffmann.

—Vous avez entendu son serment, n'est-ce pas, mon Dieu? dit Antonia.

Hoffmann voulut parler.

—Plus une parole, plus une seule; je veux que celles dont se composait votre serment, étant les dernières que j'aurai entendues de vous, bruissent éternellement à mon oreille. Au revoir, mon ami, au revoir.

Et, s'échappant, légère comme une ombre, la jeune fille laissa un médaillon dans la main de son amant.

Hoffmann la regarda s'éloigner comme Orphée dut regarder Eurydice fugitive; puis lorsque Antonia eut disparu, il ouvrit le médaillon.

Le médaillon renfermait le portrait d'Antonia, tout resplendissant de jeunesse et de beauté.

Deux heures après, Hoffmann prenait sa place dans la même diligence que Zacharias Werner en répétant:

—Sois tranquille, Antonia, oh! non, je ne jouerai pas! oh! oui, je te serai fidèle!

CHAPITRE VII.

Une barrière de Paris en 1793.

Le voyage du jeune homme fut assez triste dans cette France qu'il avait tant désirée. Ce n'était pas qu'en se rapprochant du centre il éprouvât autant de difficultés qu'il en avait rencontré pour se rendre aux frontières; non, la République française faisait meilleur accueil aux arrivants qu'aux partants.

Toutefois on n'était admis au bonheur de savourer cette précieuse forme de gouvernement qu'après avoir accompli un certain nombre de formalités passablement rigoureuses.

Ce fut le temps où les Français surent le moins écrire, mais ce fut le temps où ils écrivirent le plus. Il paraissait donc, à tous les fonctionnaires de fraîche date, convenable d'abandonner leurs occupations domestiques ou plastiques, pour signer des passeports, composer des signalements, donner des visas, accorder des recommandations, et faire, en un mot, tout ce qui concerne l'état de patriote.

Jamais la paperasserie n'eut autant de développement qu'à cette époque. Cette maladie endémique de l'administration française, se greffant sur le terrorisme, produisit les plus beaux échantillons de calligraphie grotesque dont on eût pu parler jusqu'à ce jour.

Hoffmann avait sa feuille de route d'une exiguïté remarquable. C'était le temps des exiguïtés: journaux, livres, publications de colportage, tout se réduisait au simple in-octavo pour les plus grandes mesures. La feuille de route du voyageur, disons-nous, fut envahie dès l'Alsace par des signatures de fonctionnaires qui ne ressemblaient pas mal à ces zigzags d'ivrognes qui toisent diagonalement les rues en battant l'une et l'autre muraille.

Force fut donc à Hoffmann de joindre une feuille à son passeport, puis, une autre en Lorraine, où surtout les écritures prirent des proportions colossales. Là où le patriotisme était le plus chaud, les écrivains étaient plus naïfs. Il y eut un maire qui employa deux feuilles, recto et verso, pour donner à Hoffmann un autographe ainsi conçu:

Auphemann, chune Allemans, ami de la libreté se rendan à Pari ha pié.

«Signé, GOLIER.»

Muni de ce parfait document sur sa patrie, son âge, ses principes, sa destination et ses moyens de transport, Hoffmann ne s'occupa plus que du soin de coudre ensemble tous ces lambeaux civiques, et nous devons dire qu'en arrivant à Paris, il possédait un assez joli volume, que, disait-il, il ferait relier en fer-blanc, si jamais il tentait un nouveau voyage, parce que, forcé d'avoir toujours ces feuilles à la main, elles risquaient trop dans un simple carton.

Partout on lui répétait:

—Mon cher voyageur, la province est encore habitable, mais Paris est bien remué. Défiez-vous, citoyen, il y a une police bien pointilleuse à Paris, et, en votre qualité d'Allemand, vous pourriez n'être pas traité en bon Français.

À quoi Hoffmann répondait par un sourire fier, réminiscence des fiertés spartiates quand les espions de Thessalie cherchaient à grossir les forces de Xerxès, roi des Perses.

Il arriva devant Paris: c'était le soir, les barrières étaient fermées.

Hoffmann parlait passablement la langue française, mais on est allemand ou on ne l'est pas; si on ne l'est pas, on a un accent qui, à la longue, réussit à passer pour l'accent d'une de nos provinces; si on l'est, on passe toujours pour un Allemand.

Il faut expliquer comment se faisait la police aux barrières.

D'abord, elles étaient fermées; ensuite, sept ou huit sectionnaires, gens oisifs et pleins d'intelligence, Lavaters amateurs, rôdaient par escouades, en fumant leurs pipes, autour de deux ou trois agents de police municipale.

Ces braves gens, qui, de députation en députation, avaient fini par hanter toutes les salles de clubs, tous les bureaux de districts, tous les endroits où la politique s'était glissée par le côté actif ou le côté passif; ces gens, qui avaient vu à l'Assemblée nationale ou à la Convention chaque député, dans les tribunes tous les aristocrates mâles et femelles, dans les promenades tous les élégants signalés, dans les théâtres toutes les célébrités suspectes, dans les revues tous les officiers, dans les tribunaux tous les accusés plus ou moins libérés d'accusation, dans les prisons tous les prêtres épargnés; ces dignes patriotes savaient si bien leur Paris, que tout visage de connaissance devait les frapper au passage, et, disons-le, les frappait presque toujours.

Ce n'était pas chose aisée que de se déguiser alors: trop de richesse dans le costume appelait l'œil, trop de simplicité appelait le soupçon. Comme la malpropreté était un des insignes de civisme les plus répandus, tout porteur d'eau, tout marmiton pouvait cacher un aristocrate; et puis la main blanche aux beaux ongles, comment la dissimuler entièrement? Cette démarche aristocratique qui n'est plus sensible de nos jours, où les plus humbles portent les plus hauts talons, comment la cacher à vingt paires d'yeux plus ardents que ceux du limier en quête?

Un voyageur était donc, dès son arrivée, fouillé, interrogé, dénudé, quant au moral, avec une facilité que donnait l'usage, et une liberté que donnait... la liberté.

Hoffmann parut devant ce tribunal vers six heures du soir, le 7 décembre. Le temps était gris, rude, mêlé de brume et de verglas; mais les bonnets d'ours et de loutre emprisonnant les têtes patriotes leur laissaient assez de sang chaud à la cervelle et aux oreilles pour qu'ils possédassent toute leur présence d'esprit et leurs précieuses facultés investigatrices.

Hoffmann fut arrêté par une main qui se posa doucement sur sa poitrine.

Le jeune voyageur était vêtu d'un habit gris de fer, d'une grosse redingote, et ses bottes allemandes lui dessinaient une jambe assez coquette, car il n'avait pas rencontré de boue depuis la dernière étape, et le carrosse ne pouvait plus marcher à cause du grésil. Hoffmann avait fait six lieues à pied, sur une route légèrement saupoudrée de neige durcie.

—Où vas-tu comme cela, citoyen, avec tes belles bottes? dit un agent au jeune homme.

—Je vais à Paris, citoyen.

—Tu n'es pas dégoûté, jeune Prussien, répliqua le sectionnaire, en prononçant cette épithète de Prussien avec une prodigalité d's qui fit accourir dix curieux autour du voyageur.

Les Prussiens n'étaient pas à ce moment de moins grands ennemis pour la France que les Philistins pour les compatriotes de Samson l'Israélite.

—Eh bien! oui, je suis pruzien, répondit Hoffmann, en changeant les cinq s du sectionnaire en un z; après?

—Alors, si tu es prussien, tu es bien en même temps un petit espion de Pitt et Cobourg, hein?

—Lisez mes passeports, répondit Hoffmann en exhibant son volume à l'un des lettrés de la barrière.

—Viens, répliqua celui-ci en tournant les talons pour emmener l'étranger au corps de garde.

Hoffmann suivit ce guide avec une tranquillité parfaite.

Quand, à la lueur des chandelles fumeuses, les patriotes virent ce jeune homme nerveux, l'œil ferme, les cheveux mal ordonnés, hachant son français avec le plus de conscience possible, l'un d'eux s'écria:

—Il ne se niera pas aristocrate, celui-là; a-t-il des mains et des pieds!

—Vous êtes un bête, citoyen, répondit Hoffmann; je suis patriote autant que vous, et de plus, je suis *une* artiste.

En disant ces mots, il tira de sa poche une de ces pipes effrayantes dont un plongeur de l'Allemagne peut seul trouver le fond.

Cette pipe fit un effet prodigieux sur les sectionnaires, qui savouraient leur tabac dans leurs petits réceptacles.

Tous se mirent à contempler le petit jeune homme qui entassait dans cette pipe, avec une habileté fruit d'un grand usage, la provision de tabac d'une semaine.

Il s'assit ensuite, alluma le tabac méthodiquement jusqu'à ce que le fourneau présentât une large croûte de feu à sa surface, puis il aspira à temps égaux des nuages de fumée qui sortirent gracieusement, en colonnes bleuâtres, de son nez et de ses lèvres.

—Il fume bien, dit un des sectionnaires.

—Et il paraît que c'est un fameux, dit un autre; vois donc ses certificats.

—Qu'es-tu venu faire à Paris? demanda un troisième.

—Étudier la science et la liberté, répliqua Hoffmann.

—Et quoi encore? ajouta le Français peu ému de l'héroïsme d'une telle phrase, probablement à cause de sa grande habitude.

—Et la peinture, ajouta Hoffmann.

—Ah! tu es peintre, comme le citoyen David?

—Absolument.

—Tu sais faire les patriotes romains tout nus comme lui?

—Je les fais tout habillés, dit Hoffmann.

—C'est moins beau.

—C'est selon, répliqua Hoffmann avec un imperturbable sang-froid.

—Fais-moi donc mon portrait, dit le sectionnaire avec admiration.

—Volontiers.

Hoffmann prit un tison au poêle, en éteignit à peine l'extrémité rutilante, et, sur le mur blanchi à la chaux, il dessina un des plus laids visages qui eussent jamais déshonoré la capitale du monde civilisé. Le bonnet à poils et la queue de renard, la bouche baveuse, les favoris épais, la courte pipe, le menton fuyant furent imités avec un si rare bonheur de vérité dans sa charge, que tout le corps de garde demanda au jeune homme la faveur d'être *portraituré* par lui.

Hoffmann s'exécuta de bonne grâce et croqua sur le mur une série de patriotes aux visages bien réussis, mais moins nobles, assurément, que les bourgeois de la *Ronde nocturne* de Rembrandt.

Les patriotes une fois en belle humeur, il ne fut plus question de soupçons: l'Allemand fut naturalisé parisien; on lui offrit la bière d'honneur, et lui, en garçon bien pensant, il offrit à ses hôtes du vin de Bourgogne, que ces messieurs acceptèrent de grand cœur.

Ce fut alors que l'un d'eux, plus rusé que les autres, prit son nez épais dans le crochet de son index, et dit à Hoffmann en clignant l'œil gauche:

—Avoue-nous une chose, citoyen allemand.

—Laquelle, notre ami?

—Avoue-nous le but de ta mission.

—Je te l'ai dit: la politique et la peinture.

—Non, non, autre chose.

—Je t'assure, citoyen.

—Tu comprends bien que nous ne t'accusons pas; tu nous plais, et nous te protégerons; mais voici deux délégués du club des Cordeliers, deux des Jacobins; moi, je suis des Frères et Amis; choisis parmi nous celui de ces clubs auquel tu feras ton hommage.

—Quel hommage? dit Hoffmann surpris.

—Oh! ne t'en cache pas, c'est si beau que tu devrais t'en pavaner partout.

—Vrai, citoyen, tu me fais rougir, explique-toi.

—Regarde et juge si je sais deviner, dit le patriote. Et, ouvrant le livre des passeports, il montra, de son doigt gras, sur une page, sous la rubrique Strasbourg, les lignes suivantes:

«Hoffmann, voyageur, venant de Mannheim, a pris à Strasbourg une caisse étiquetée ainsi qu'il suit: O.B.»

—C'est vrai, dit Hoffmann.

—Eh bien! que contient cette caisse?

—J'ai fait ma déclaration à l'octroi de Strasbourg.

—Regardez, citoyens, ce que ce petit sournois apporte ici.... Vous souvenez-vous de l'envoi de nos patriotes d'Auxerre?

—Oui, dit l'un d'eux, une caisse de lard.

—Pour quoi faire?

—Pour graisser la guillotine, s'écria un chœur de voix satisfaites.

—Eh bien! dit Hoffmann, un peu pâle, quel rapport cette caisse que j'apporte peut-elle avoir avec l'envoi des patriotes d'Auxerre?

—Lis, dit le Parisien en lui montrant son passeport: lis, jeune homme: «Voyageant pour la politique et pour l'art.» C'est écrit!

—Ô République! murmura Hoffmann.

—Avoue donc, jeune ami de la liberté, lui dit son protecteur.

—Ce serait me vanter d'une idée que je n'ai pas eue, répliqua Hoffmann. Je n'aime pas la fausse gloire; non, la caisse que j'ai prise à Strasbourg, et qui m'arrivera par le roulage, ne contient qu'un violon, une boîte à couleurs et quelques toiles roulées.

Ces mots diminuèrent beaucoup l'estime que certains avaient conçue d'Hoffmann. On lui rendit ses papiers, on fit raison à ses rasades mais on cessa de le regarder comme un sauveur des peuples esclaves.

L'un des patriotes ajouta même:

—Il ressemble à Saint-Just, mais j'aime mieux Saint-Just.

Hoffmann replongé dans sa rêverie, qu'échauffaient le poêle, le tabac et le vin de Bourgogne, demeura quelque temps silencieux. Mais soudain relevant la tête:

—On guillotine donc beaucoup ici? dit-il.

—Pas mal, pas mal; cela a baissé un peu depuis les Brissotins, mais c'est encore satisfaisant.

—Savez-vous où je trouverais un bon gîte, mes amis?

—Partout.

—Mais pour tout voir.

—Ah! alors loge-toi du côté du quai aux Fleurs.

—Bien.

—Sais-tu où cela se trouve, le quai aux Fleurs?

—Non, mais ce mot de fleurs me plaît. Je m'y vois déjà installé, au quai aux Fleurs. Par où y va-t-on?

—Tu vas descendre tout droit la rue d'Enfer, et tu arriveras au quai.

—Quai, c'est-à-dire que l'on touche à l'eau! dit Hoffmann.

—Tout juste.

—Et l'eau, c'est la Seine?

—C'est la Seine.

—Le quai aux Fleurs borde la Seine, alors?

—Tu connais Paris mieux que moi, citoyen allemand.

—Merci. Adieu; puis-je passer?

—Tu n'as plus qu'une petite formalité à accomplir.

—Dis.

—Tu passeras chez le commissaire de police, et tu te feras délivrer un permis de séjour.

—Très bien! Adieu.

—Attends encore. Avec ce permis du commissaire, tu iras à la police.

—Ah! ah!

—Et tu donneras l'adresse de ton logement.

—Soit! c'est fini?

—Non, tu te présenteras à la section.

—Pour quoi faire?

—Pour justifier de tes moyens d'existence.

—Je ferai tout cela; et ce sera tout?

—Pas encore; il faudra faire des dons patriotiques.

—Volontiers.

—Et ton serment de haine aux tyrans français et étrangers.

—De tout mon cœur. Merci de ces précieux renseignements.

—Et puis, tu n'oublieras pas d'écrire lisiblement tes nom et prénoms sur une pancarte, à ta porte.

—Cela sera fait.

—Va-t'en, citoyen, tu nous gênes.

Les bouteilles étaient vides.

—Adieu, citoyens; grand merci de votre politesse.

Et Hoffmann partit, toujours en société de sa pipe, plus allumée que jamais.

Voilà comment il fit son entrée dans la capitale de la France républicaine.

Ce mot charmant «quai aux Fleurs» l'avait affriandé. Hoffmann se figurait déjà une petite chambre dont le balcon donnait sur ce merveilleux quai aux Fleurs.

Il oubliait décembre et les vents de bise, il oubliait la neige et cette mort passagère de toute la nature. Les fleurs venaient éclore dans son imagination sous la fumée de ses lèvres; il ne voyait plus que les jasmins et la rose, malgré les cloaques du faubourg.

Il arriva, neuf heures sonnant, au quai aux Fleurs, lequel était parfaitement sombre et désert, ainsi que le sont les quais du Nord en hiver. Toutefois, cette solitude était, ce soir, plus noire et plus sensible qu'autre part.

Hoffmann avait trop faim, il avait trop froid pour philosopher en chemin; mais pas d'hôtellerie sur ce quai.

Levant les yeux, il aperçut enfin, au coin du quai et de la rue de la Barillerie, une grosse lanterne rouge, dans les vitres de laquelle tremblait un lumignon crasseux.

Ce fanal pendait et se balançait au bout d'une potence de fer, fort propre, en ces temps d'émeute, à suspendre un ennemi politique.

Hoffmann ne vit que ces mots écrits en lettres vertes sur le verre rouge:

Logis à pied.—Chambres et cabinets meublés.

Il heurta vivement à la porte d'une allée; la porte s'ouvrit; le voyageur entra en tâtonnant.

Une voix rude lui cria:

—Fermez votre porte.

Et un gros chien, aboyant, sembla lui dire:

—Gare à vos jambes!

Prix fait avec une hôtesse assez avenante, chambre choisie, Hoffmann se trouva possesseur de quinze pieds de long sur huit de large, formant ensemble une chambre à coucher et un cabinet, moyennant trente sous par jour, payables chaque matin, au lever.

Hoffmann était si joyeux, qu'il paya quinze jours d'avance, de peur qu'on ne vînt lui contester la possession de ce logement précieux.

Cela fait, il se coucha dans un lit assez humide; mais tout lit est lit pour un voyageur de dix-huit ans.

Et puis, comment se montrer difficile quand on a le bonheur de loger quai aux Fleurs?

Hoffmann invoqua d'ailleurs le souvenir d'Antonia, et le paradis n'est-il pas toujours là où l'on invoque les anges?

CHAPITRE VIII.

Comment les musées et les bibliothèques étaient fermés, mais comment la place de la Révolution était ouverte.

La chambre qui, pendant quinze jours, devait servir de paradis terrestre à Hoffmann renfermait un lit, nous le connaissons, une table et deux chaises.

Elle avait une cheminée ornée de deux vases de verre bleu meublés de fleurs artificielles. Un génie de la Liberté en sucre s'épanouissait sous une cloche de cristal, dans laquelle se reflétaient son drapeau tricolore et son bonnet rouge.

Un chandelier en cuivre, une encoignure en vieux bois de rose, une tapisserie du douzième siècle pour rideau, voilà tout l'ameublement tel qu'il apparut aux premiers rayons du jour.

Cette tapisserie représentait Orphéus jouant du violon pour reconquérir Eurydice, et le violon rappela tout naturellement Zacharias Werner à la mémoire d'Hoffmann.

«Cher ami, pensa notre voyageur, il est à Paris, moi aussi; nous sommes ensemble, et je le verrai aujourd'hui ou demain au plus tard. Par où vais-je commencer? Comment vais-je m'y prendre pour ne pas perdre le temps du bon Dieu, et pour tout voir en France? Depuis plusieurs jours je ne vois que des tableaux vivants très laids, allons au salon du Louvre de l'ex-tyran, je verrai tous les beaux tableaux qu'il avait, les Rubens, les Poussin. Allons vite.»

Il se leva pour examiner, en attendant, le tableau panoramique de son quartier.

Un ciel gris, terne, de la boue noire sous des arbres blancs, une population affairée, avide de courir, et un certain bruit, pareil au murmure de l'eau qui coule. Voilà tout ce qu'il découvrit.

C'était peu fleuri. Hoffmann ferma sa fenêtre, déjeuna, et sortit pour voir d'abord l'ami Zacharias Werner.

Mais, sur le point de prendre une direction, il se rappela que Werner n'avait jamais donné son adresse, sans laquelle il était difficile de le rencontrer.

Ce ne fut pas un mince désappointement pour Hoffmann.

Mais bientôt:

«Fou que je suis! pensa-t-il; ce que j'aime, Zacharias l'aime aussi. J'ai envie de voir de la peinture, il aura eu envie de voir de la peinture. Je trouverai lui ou sa trace dans le Louvre. Allons au Louvre.»

Le Louvre, on le voyait du parapet. Hoffmann se dirigea vers le monument.

Mais il eut la douleur d'apprendre à la porte que les Français, depuis qu'ils étaient libres, ne s'amollissaient pas à voir de la peinture d'esclaves, et que, en admettant, ce qui n'est pas probable, que la Commune de Paris n'eût pas déjà rôti toutes les croûtes pour allumer les fonderies d'armes de guerre, on se garderait bien de ne pas nourrir de toute cette huile des rats destinés à la nourriture des patriotes, du jour où les Prussiens viendraient assiéger Paris.

Hoffmann sentit que la sueur lui montait au front; l'homme qui lui parlait ainsi avait une certaine façon de parler qui sentait son importance.

On saluait fort ce beau diseur.

Hoffmann apprit d'un des assistants qu'il avait eu l'honneur de parler au citoyen Simon, gouverneur des *enfants de France* et conservateur des musées royaux.

«Je ne verrai point de tableaux, dit-il en soupirant; ah! c'est dommage! mais je m'en irai à la Bibliothèque du feu roi, et, à défaut de peinture, j'y verrai des estampes, des médailles et des manuscrits; j'y verrai le tombeau de Childéric, père de Clovis, et les globes céleste et terrestre du père Coronelli.»

Hoffmann eut la douleur, en arrivant, d'apprendre que la nation française, regardant comme une source de corruption et d'incivisme la science et la littérature, avait fermé toutes les officines où conspiraient de prétendus savants et de prétendus littérateurs, le tout par mesure d'humanité, pour s'épargner la peine de guillotiner ces pauvres diables. D'ailleurs, même sous le tyran, la Bibliothèque n'était ouverte que deux fois par semaine.

Hoffmann dut se retirer sans avoir rien vu; il dut même oublier de demander des nouvelles de son ami Zacharias.

Mais, comme il était persévérant, il s'obstina et voulut voir le musée Saint-Avoye.

On lui apprit alors que le propriétaire avait été guillotiné l'avant-veille.

Il s'en alla jusqu'au Luxembourg; mais ce palais était devenu prison.

À bout de forces et de courage, il reprit le chemin de son hôtel, pour reposer un peu ses jambes, rêver à Antonia, à Zacharias, et fumer dans la solitude une bonne pipe de deux heures.

Mais, à prodige! ce quai aux Fleurs si calme, si désert, était noir d'une multitude de gens rassemblés, qui se démenaient et vociféraient d'une façon inharmonieuse.

Hoffmann, qui n'était pas grand, ne voyait rien par-dessus les épaules de tous ces gens-là; il se hâta de percer la foule avec ses coudes pointus et de rentrer dans sa chambre.

Il se mit à sa fenêtre.

Tous les regards se tournèrent aussitôt vers lui, et il en fut embarrassé un moment, car il remarqua combien peu de fenêtres étaient ouvertes. Cependant la curiosité des assistants se porta bientôt sur un autre point que la fenêtre d'Hoffmann, et le jeune homme fit comme les curieux, il regarda le porche d'un grand bâtiment noir à toits aigus, dont le clocheton surmontait une grosse tour carrée.

Hoffmann appela l'hôtesse.

—Citoyenne, dit-il, qu'est-ce que cet édifice, je vous prie?

—Le Palais, citoyen.

—Et que fait-on au Palais?

—Au palais de justice, citoyen, on y juge.

—Je croyais qu'il n'y avait plus de tribunaux.

—Si fait, il y a le tribunal révolutionnaire.

—Ah! c'est vrai... et tous ces braves gens?

—Attendent l'arrivée des charrettes.

—Comment, des charrettes? je ne comprends pas bien; excusez-moi, je suis étranger.

—Citoyen, les charrettes, c'est comme qui dirait des corbillards pour les gens qui vont mourir.

—Ah! mon Dieu!

—Oui, le matin arrivent les prisonniers qui viennent se faire juger au tribunal révolutionnaire.

—Bien.

—À quatre heures, tous les prisonniers sont jugés, on les emballe dans les charrettes que le citoyen Fouquier a requises à cet effet.

—Qu'est-ce que cela, le citoyen Fouquier?

—L'accusateur public.

—Fort bien, et alors?

—Et alors les charrettes s'en vont au petit trot à la place de la Révolution, où la guillotine est en permanence.

—En vérité!

—Quoi! vous êtes sorti et vous n'êtes pas allé voir la guillotine! c'est la première chose que les étrangers visitent en arrivant; il paraît que nous autres Français nous avons seuls des guillotines.

—Je vous en fais mon compliment, madame.

—Dites citoyenne.

—Pardon.

—Tenez, voici les charrettes qui arrivent....

—Vous vous retirez, citoyenne.

—Oui, je n'aime plus voir cela. Et l'hôtesse se retira. Hoffmann la prit doucement par le bras.

—Excusez-moi si je vous fais une question, dit-il.

—Faites.

—Pourquoi dites-vous que vous n'aimez plus voir cela? J'aurais dit, moi, je n'aime *pas*.

—Voici l'histoire, citoyen. Dans le commencement, on guillotinait des aristocrates très méchants, à ce qu'il paraît. Ces gens-là portaient la tête si droite, ils avaient tous l'air si insolent, si provocateur, que la pitié ne venait pas facilement mouiller nos yeux. On regardait donc volontiers. C'était un beau spectacle que cette lutte des courageux ennemis de la nation contre la mort. Mais voilà qu'un jour j'ai vu monter sur la charrette un vieillard dont la tête battait les ridelles de la voiture. C'était douloureux. Le lendemain je vis des religieuses. Un autre jour je vis un enfant de quatorze ans, et enfin je vis une jeune fille dans une charrette, sa mère était dans l'autre, et ces deux pauvres femmes s'envoyaient des baisers sans dire une parole. Elles étaient si pâles, elles avaient le regard si sombre, un si fatal sourire aux lèvres, ces doigts qui remuaient seuls pour pétrir le baiser sur leur bouche étaient si tremblants et si nacrés, que jamais je n'oublierai cet horrible spectacle, et que j'ai juré de ne plus m'exposer à le voir jamais.

—Ah! ah! dit Hoffmann en s'éloignant de la fenêtre, c'est comme cela?

—Oui, citoyen. Eh bien! que faites-vous?

—Je ferme la fenêtre.

—Pour quoi faire?

—Pour ne pas voir.

—Vous! un homme.

—Voyez-vous, citoyenne, je suis venu à Paris pour étudier les arts et respirer un air libre. Eh bien! si par malheur je voyais un de ces spectacles, dont vous venez de me parler, si je voyais une jeune fille ou une femme traînée à la mort en regrettant la vie, citoyenne, je penserais à ma fiancée, que j'aime, et qui, peut-être.... Non, citoyenne, je ne resterai pas plus longtemps dans cette chambre; en avez-vous une sur les derrières de la maison?

—Chut! malheureux, vous parlez trop haut; si mes officieux vous entendent....

—Vos officieux! qu'est-ce que cela, officieux?

—C'est un synonyme républicain de valet.

—Eh bien! si vos valets m'entendent, qu'arrivera-t-il?

—Il arrivera que, dans trois ou quatre jours, je pourrai vous voir de cette fenêtre sur une des charrettes, à quatre heures de l'après-midi.

Cela dit avec mystère, la bonne dame descendit précipitamment, et Hoffmann l'imita.

Il se glissa hors de la maison, résolu à tout pour échapper au spectacle populaire.

Quand il fut au coin du quai, le sabre des gendarmes brilla, un mouvement se fit dans la foule, les masses hurlèrent et se prirent à courir.

Hoffmann à toutes jambes gagna la rue Saint-Denis, dans laquelle il s'enfonça comme un fou; il fit, pareil au chevreuil, plusieurs voltes dans différentes petites rues, et disparut dans ce dédale de ruelles qui s'embrouillent entre le quai de la Ferraille et les halles.

Il respira enfin en se voyant rue de la Ferronnerie, où, avec la sagacité du poète et du peintre, il devina la place célèbre par l'assassinat d'Henri IV.

Puis, toujours marchant, toujours cherchant, il arriva au milieu de la rue Saint-Honoré. Partout les boutiques se fermaient sur son passage. Hoffmann admirait la tranquillité de ce quartier; les boutiques ne se fermaient pas seules, les fenêtres de certaines maisons se calfeutraient avec mesure, comme si elles eussent reçu un signal.

Cette manœuvre fut bientôt expliquée à Hoffmann; il vit les fiacres se détourner et prendre les rues latérales; il entendit un galop de chevaux et reconnut des gendarmes; puis, derrière eux, dans la première brume du soir, il entrevit un pêle-mêle affreux de haillons, de bras levés, de piques brandies et d'yeux flamboyants.

Au-dessus de tout cela, une charrette.

De ce tourbillon qui venait à lui sans qu'il pût se cacher ou s'enfuir, Hoffmann entendit sortir des cris tellement aigus, tellement lamentables, que rien de si affreux n'avait jusqu'à ce soir-là frappé ses oreilles.

Sur la charrette était une femme vêtue de blanc. Ces cris s'exhalaient des lèvres, de l'âme, de tout le corps soulevé de cette femme.

Hoffmann sentit ses jambes lui manquer. Ces hurlements avaient rompu les faisceaux nerveux. Il tomba sur une borne, la tête adossée à des contrevents de boutique mal joints encore, tant la fermeture de cette boutique avait été précipitée.

La charrette arriva au milieu de son escorte de bandits et de femmes hideuses, ses satellites ordinaires; mais, chose étrange! toute cette lie ne bouillonnait pas, tous ces reptiles ne coassaient pas, la victime seule se tordait entre les bras de deux hommes et criait au ciel, à la terre, aux hommes et aux choses.

Hoffmann entendit soudain dans son oreille, par la fente du volet, ces mots prononcés tristement par une voix d'homme jeune:

—Pauvre Du Barry! te voilà donc!

—Madame Du Barry! s'écria Hoffmann, c'est elle, c'est elle qui passe là sur cette charrette.

—Oui, monsieur, répondit la voix basse et dolente à l'oreille du voyageur, et de si près qu'à travers les planches il sentait le souffle chaud de son interlocuteur.

La pauvre Du Barry se tenait droite et cramponnée au col mouvant de la charrette; ses cheveux châtains, l'orgueil de sa beauté, avaient été coupés sur la nuque, mais retombaient sur les tempes en longues mèches trempées de sueur; belle avec ses grands yeux hagards, avec sa petite bouche, trop petite pour les cris affreux qu'elle poussait, la malheureuse femme secouait de temps en temps la tête par un mouvement convulsif, pour dégager son visage des cheveux qui le masquaient.

Quand elle passa devant la borne où Hoffmann s'était affaissé, elle cria: «Au secours! sauvez-moi! je n'ai pas fait de mal! au secours!» et faillit renverser l'aide du bourreau qui la soutenait.

Ce cri: Au secours! elle ne cessa de le pousser au milieu du plus profond silence des assistants. Ces furies, accoutumées à insulter les braves condamnés, se sentaient remuées par l'irrésistible élan de l'épouvante d'une femme; elles sentaient que leurs vociférations n'eussent pas réussi à couvrir les gémissements de cette fièvre qui touchait à la folie et atteignait le sublime du terrible.

Hoffmann se leva, ne sentant plus son cœur dans sa poitrine; il se mit à courir après la charrette comme les autres, ombre nouvelle ajoutée à cette procession de spectres qui faisaient la dernière escorte d'une favorite royale.

Madame Du Barry, le voyant, cria encore:

—La vie! la vie!... je donne tout mon bien à la nation! Monsieur!... sauvez-moi!

«Oh! pensa le jeune homme, elle m'a parlé! Pauvre femme, dont les regards ont valu si cher, dont les paroles n'avaient pas de prix: elle m'a parlé.»

Il s'arrêta. La charrette venait d'atteindre la place de la Révolution. Dans l'ombre épaissie par une pluie froide, Hoffmann ne distinguait plus que deux silhouettes: l'une blanche, c'était celle de la victime, l'autre rouge, c'était l'échafaud.

Il vit les bourreaux traîner la robe blanche sur l'escalier. Il vit cette forme tourmentée se cambrer pour la résistance, puis soudain, au milieu de ses horribles cris, la pauvre femme perdit l'équilibre et tomba sur la bascule.

Hoffmann l'entendit crier: «Grâce, monsieur le bourreau, encore une minute, monsieur le bourreau....» Et ce fut tout, le couteau tomba, lançant un éclair fauve.

Hoffmann s'en alla rouler dans le fossé qui borde la place.

C'était un beau tableau pour un artiste qui venait en France chercher des impressions et des idées.

Dieu venait de lui montrer le trop cruel châtiment de celle qui avait contribué à perdre la monarchie.

Cette lâche mort de la Du Barry lui parut l'absolution de la pauvre femme. Elle n'avait donc jamais eu d'orgueil, puisqu'elle ne savait même pas mourir! Savoir mourir, hélas! en ce temps-là ce fut la vertu suprême de ceux qui n'avaient jamais connu le vice.

Hoffmann réfléchit ce jour-là que, s'il était venu en France pour voir des choses extraordinaires, son voyage n'était pas manqué.

Alors, un peu consolé par la philosophie de l'histoire:

«Il reste le théâtre, se dit-il, allons au théâtre. Je sais bien qu'après l'actrice que je viens de voir, celles de l'Opéra ou de la tragédie ne me feront pas d'effet, mais je serai indulgent. Il ne faut pas trop demander à des femmes qui ne meurent que pour rire.

«Seulement, je vais tâcher de bien reconnaître cette place pour n'y plus jamais passer de ma vie.»

CHAPITRE IX.

«Le jugement de Pâris».

Hoffmann était l'homme des transitions brusques. Après la place de la Révolution et le peuple tumultueux groupé autour d'un échafaud, le ciel sombre et le sang, il lui fallait l'éclat des lustres, la foule joyeuse, les fleurs, la vie enfin. Il n'était pas bien sûr que le spectacle auquel il avait assisté s'effacerait de sa pensée par ce moyen, mais il voulait au moins donner une distraction à ses yeux, et se prouver qu'il y avait encore dans le monde des gens qui vivaient et qui riaient.

Il s'achemina donc vers l'Opéra; mais il y arriva sans savoir comment il y était arrivé. Sa détermination avait marché devant lui, et il l'avait suivie comme un aveugle suit son chien, tandis que son esprit voyageait dans un chemin opposé, à travers des impressions toutes contraires.

Comme sur la place de la Révolution, il y avait foule sur le boulevard où se trouvait à cette époque le théâtre de l'Opéra, là où est aujourd'hui le théâtre de la Porte-Saint-Martin.

Hoffmann s'arrêta devant cette foule et regarda l'affiche.

On jouait *le Jugement de Pâris*, ballet-pantomime en trois actes, de M. Gardel jeune, fils du maître de danse de Marie-Antoinette, et qui devint plus tard maître des ballets de l'empereur.

—*Le Jugement de Pâris*, murmura le poète en regardant fixement l'affiche comme pour se graver dans l'esprit, à l'aide des yeux et de l'ouïe, la signification de ces trois mots, *Le Jugement de Pâris!*

Et il avait beau répéter les syllabes qui composaient le titre du ballet, elles lui paraissaient vides de sens, tant sa pensée avait de peine à rejeter les souvenirs terribles dont elle était pleine, pour donner place à l'œuvre empruntée par M. Gardel jeune à l'*Iliade* d'Homère.

Quelle étrange époque que cette époque, où, dans une même journée, on pouvait voir condamner le matin, voir exécuter à quatre heures, voir danser le soir, et où l'on courait la chance d'être arrêté soi-même en revenant de toutes ces émotions!

Hoffmann comprit que, si un autre que lui ne lui disait pas ce qu'on jouait, il ne parviendrait pas à le savoir, et que peut-être il deviendrait fou devant cette affiche.

Il s'approcha donc d'un gros monsieur qui faisait queue avec sa femme, car de tout temps les gros hommes ont eu la manie de faire queue avec leur femme, et il lui dit:

—Monsieur, que joue-t-on ce soir?

—Vous le voyez bien sur l'affiche, monsieur, répondit le gros homme; on joue *Le Jugement de Pâris*.

—Le Jugement de Pâris... répéta Hoffmann. Ah! oui, le jugement de Pâris, je sais ce que c'est.

Le gros monsieur regarda cet étrange questionneur, et leva les épaules avec l'air du plus profond mépris pour ce jeune homme qui, dans ce temps tout mythologique, avait pu oublier un instant ce que c'était que le jugement de Pâris.

—Voulez-vous l'explication du ballet, citoyen? dit un marchand de livrets en s'approchant d'Hoffmann.

—Oui, donnez!

C'était pour notre héros une preuve de plus qu'il allait au spectacle, et il en avait besoin.

Il ouvrit le livret et jeta les yeux dessus.

Ce livret était coquettement imprimé sur beau papier blanc, et enrichi d'un avant-propos de l'auteur.

«Quelle chose merveilleuse que l'homme! pensa Hoffmann en regardant les quelques lignes de cet avant-propos, lignes qu'il n'avait pas encore lues, mais qu'il allait lire, et comme, tout en faisant partie de la masse commune des hommes, il marche seul, égoïste et indifférent, dans le chemin de ses intérêts et de ses ambitions! Ainsi, voici un homme, M. Gardel jeune, qui a fait représenter ce ballet le 5 mars 1793, c'est-à-dire six semaines après un des plus grands événements du monde; eh bien! le jour où ce ballet a été représenté, il a eu des émotions particulières dans les émotions générales; le cœur lui a battu quand on a applaudi; et si, en ce moment, on était venu lui parler de cet événement qui ébranlait encore le monde, et qu'on lui eût nommé le roi Louis XVI, il se fût écrié: Louis XVI, de qui voulez-vous parler? Puis, comme si, à partir du jour où il avait livré son ballet au public, la terre entière n'eût plus dû être préoccupée que de cet événement chorégraphique, il a fait un avant-propos à l'explication de sa pantomime. Eh bien! lisons-le, son avant-propos, et voyons si, en cachant la date du jour où il a été écrit, j'y retrouverai la trace des choses au milieu desquelles il venait au jour.»

Hoffmann s'accouda à la balustrade du théâtre, et voici ce qu'il lut.

«J'ai toujours remarqué dans les ballets d'action que les effets de décorations et les divertissements variés et agréables étaient ce qui attirait le plus la foule et les vifs applaudissements.»

«Il faut avouer que voilà un homme qui a fait là une remarque curieuse, pensa Hoffmann, sans pouvoir s'empêcher de sourire à la lecture de cette première naïveté. Comment! il a remarqué que ce qui attire dans les ballets, ce sont les effets de décorations et les divertissements variés et agréables. Comme cela est poli pour MM. Haydn, Pleyel et Méhul, qui ont fait la musique du *Jugement de Pâris*! Continuons.»

«D'après cette remarque, j'ai cherché un sujet qui pût se plier à faire valoir les grands talents que l'Opéra de Paris seul possède en danse, et qui me permît d'étendre les idées que le hasard pourrait m'offrir. L'histoire poétique est le train inépuisable que le maître de ballet doit cultiver; ce terrain n'est pas sans épines; mais il faut savoir les écarter pour cueillir la rose.»

—Ah! par exemple! voilà une phrase à mettre dans un cadre d'or! s'écria Hoffmann. Il n'y a qu'en France qu'on écrive ces choses-là.

Et il se mit à regarder le livret, s'apprêtant à continuer cette intéressante lecture qui commençait à l'égayer; mais son esprit, détourné de sa véritable préoccupation, y revenait peu à peu; les caractères se brouillèrent sous les yeux du rêveur, il laissa tomber la main qui tenait *Le Jugement de Pâris*, il fixa les yeux sur la terre, et murmura:

—Pauvre femme!

C'était l'ombre de madame Du Barry qui passait encore une fois dans le souvenir du jeune homme. Alors il secoua la tête comme pour en chasser violemment les sombres réalités, et, mettant dans sa poche le livret de M. Gardel jeune, il prit une place et entra dans le théâtre.

La salle était comble et ruisselante de fleurs, de pierreries, de soie et d'épaules nues. Un immense bourdonnement, bourdonnement de femmes parfumées, de propos frivoles, semblable au bruit que feraient un millier de mouches volant dans une boîte de papier, et plein de ces mots qui laissent dans l'esprit la même trace que les ailes des papillons aux doigts des enfants qui les prennent et qui, deux minutes après, ne sachant plus qu'en faire, lèvent les mains en l'air et leur rendent la liberté.

Hoffmann prit une place à l'orchestre et, dominé par l'atmosphère ardente de la salle, il parvint à croire un instant qu'il y était depuis le matin, et que ce sombre décès que regardait sans cesse sa pensée était un cauchemar et non pas une réalité. Alors sa mémoire, qui, comme la mémoire de tous les hommes, avait deux verres réflecteurs, l'un dans le cœur, l'autre dans l'esprit, se tourna insensiblement, et par la gradation naturelle des impressions joyeuses, vers cette douce jeune fille qu'il avait laissée là-bas et dont il sentait le médaillon battre, comme un autre cœur, contre les battements du sien. Il regarda toutes les femmes qui l'entouraient, toutes ces blanches épaules, tous ces cheveux blonds et bruns, tous ces bras souples, toutes ces mains jouant avec les branches d'un éventail ou ajustant coquettement les fleurs d'une coiffure, et il se sourit à lui-même en prononçant le nom d'Antonia, comme si ce nom eût suffi pour faire disparaître toute comparaison entre celle qui le portait et les femmes qui se trouvaient là, et pour le transporter dans un monde de souvenirs mille fois plus charmants que toutes ces réalités, si belles qu'elles fussent. Puis, comme si ce n'eût point été assez, comme s'il eût eu à craindre que le portrait, qu'à travers la distance lui retraçait sa pensée, ne s'effaçât dans l'idéal par où il lui apparaissait, Hoffmann glissa doucement la main dans sa poitrine, y saisit le médaillon comme une fille craintive saisit un oiseau dans un nid, et après s'être assuré que nul ne pouvait le voir, et ternir d'un regard la douce image qu'il prenait dans sa main, il amena doucement le portrait de la jeune fille, le monta à la hauteur de ses yeux, l'adora un instant du regard, puis, après l'avoir posé pieusement sur ses lèvres, il le cacha de nouveau tout près de son cœur, sans que personne pût deviner la joie que venait d'avoir, en faisant le mouvement d'un homme qui met la main dans son gilet, ce jeune spectateur aux cheveux noirs et au teint pâle.

En ce moment on donnait le signal, et les premières notes de l'ouverture commencèrent à courir gaiement dans l'orchestre, comme des pinsons querelleurs dans un bosquet.

Hoffmann s'assit, et tâchant de redevenir un homme comme tout le monde, c'est-à-dire un spectateur attentif, il ouvrit ses deux oreilles à la musique.

Mais, au bout de cinq minutes, il n'écoutait plus et ne voulait plus entendre: ce n'était pas avec cette musique-là qu'on fixait l'attention d'Hoffmann, d'autant plus qu'il l'entendait deux fois, vu qu'un voisin, habitué sans doute de l'Opéra, et admirateur de MM. Haydn, Pleyel et Méhul, accompagnait d'une petite voix en demi-ton de fausset, et avec une exactitude parfaite, les différentes mélodies de ces messieurs. Le dilettante joignait à cet accompagnement de la bouche un autre accompagnement des doigts, en frappant en mesure avec une charmante dextérité, ses ongles longs et effilés sur la tabatière qu'il tenait dans sa main gauche.

Hoffmann, avec cette habitude de curiosité qui est naturellement la première qualité de tous les observateurs, se mit à examiner ce personnage qui se faisait un orchestre particulier greffé sur l'orchestre général.

En vérité, le personnage méritait l'examen.

Figurez-vous un petit homme portant habit, gilet et culotte noirs, chemise et cravate blanches, mais d'un blanc plus que blanc, presque aussi fatigant pour les yeux que le reflet argenté de la neige. Mettez sur la moitié des mains de ce petit homme, mains maigres, transparentes comme la cire et se détachant sur la culotte noire comme si elles eussent été intérieurement éclairées, mettez des manchettes de fine batiste, plissées avec le plus grand soin, et souples comme des feuilles de lis, et vous aurez l'ensemble du corps. Regardez la tête, maintenant, et regardez-la comme faisait Hoffmann, c'est-à-dire avec une curiosité mêlée d'étonnement. Figurez-vous un visage de forme ovale, au front poli comme l'ivoire, aux cheveux rares et fauves ayant poussé de distance en distance comme des touffes de buisson dans une plaine. Supprimez les sourcils, et, au-dessous de la place où ils devraient être, faites deux trous, dans lesquels vous mettrez un œil froid comme du verre, presque toujours fixe, et qu'on croirait d'autant plus volontiers inanimé qu'on chercherait vainement en eux le point lumineux que Dieu a mis dans l'œil comme une étincelle de foyer de la vie. Ces yeux sont bleus comme le saphir, sans douceur, sans dureté. Ils voient, cela est certain, mais ils ne regardent pas. Un nez sec, mince, long et pointu, une bouche petite, aux lèvres entrouvertes sur des dents non pas blanches, mais de la même couleur cireuse que la peau, comme si elles eussent reçu une légère infiltration de sang pâle et s'en fussent colorées, un menton pointu, rasé avec le plus grand soin, des pommettes saillantes, des joues creusées chacune par une cavité à y mettre une noix, tels étaient les traits caractéristiques du spectateur voisin d'Hoffmann.

Cet homme pouvait aussi bien avoir cinquante ou trente ans. Il en eût eu quatre-vingts que la chose n'eût pas été extraordinaire; il n'en eût eu que douze que ce n'eût pas été bien invraisemblable. Il semblait qu'il eût dû venir au monde tel qu'il était. Il n'avait sans doute jamais été plus jeune, et il était possible qu'il parût plus vieux.

Il était probable qu'en touchant sa peau on eût éprouvé la même sensation de froid qu'en touchant la peau d'un serpent ou d'un mort.

Mais, par exemple, il aimait bien la musique.

De temps à autre, sa bouche s'écartait un peu plus sous une pression de volupté mélophile, et trois petits plis, identiquement les mêmes de chaque côté, décrivaient un demi-cercle à l'extrémité de ses lèvres, et y restaient imprimés pendant cinq minutes, puis ils s'effaçaient graduellement comme les ronds que fait une pierre qui tombe dans l'eau et qui vont s'élargissant toujours jusqu'à ce qu'ils se confondent tout à fait avec la surface.

Hoffmann ne se lassait pas de regarder cet homme, qui se sentait examiné, mais qui n'en bougeait pas plus pour cela. Cette immobilité était telle, que notre poète, qui avait déjà, à cette époque, le germe de l'imagination qui devait enfanter *Coppélius*, appuya ses deux mains sur le dossier de la stalle qui était devant lui, pencha son corps en avant, et, tournant la tête à droite, essaya de voir de face celui qu'il n'avait encore vu que de profil.

Le petit homme regarda Hoffmann sans étonnement, lui sourit, lui fit un petit salut amical, et continua de fixer les yeux sur le même point, point invisible pour tout autre que pour lui, et d'accompagner l'orchestre.

—C'est étrange! fit Hoffmann en se rasseyant, j'aurais parié qu'il ne vivait pas.

Et comme si, quoiqu'il eût vu remuer la tête de son voisin, le jeune homme n'eût pas été bien convaincu que le reste du corps était animé, il jeta de nouveau les yeux sur les mains de ce personnage. Une chose le frappa alors, c'est que sur la tabatière sur laquelle jouaient ces mains, tabatière d'ébène, brillait une petite tête de mort en diamants.

Tout, ce jour-là, devait prendre des teintes fantastiques aux yeux d'Hoffmann; mais il était résolu à en venir à ses fins, et, se penchant en bas comme il s'était penché en avant, il colla ses yeux sur cette tabatière au point que ses lèvres touchaient presque les mains de celui qui la tenait.

L'homme ainsi examiné, voyant que sa tabatière était d'un si grand intérêt pour son voisin, la lui passa silencieusement, afin qu'il pût la regarder tout à son aise.

Hoffmann la prit, la tourna et la retourna vingt fois, puis il l'ouvrit.

Il y avait du tabac dedans!

CHAPITRE X.

Arsène.

Après avoir examiné la tabatière avec la plus grande attention, Hoffmann la rendit à son propriétaire en le remerciant, d'un signe silencieux de la tête, auquel le propriétaire répondit par un signe aussi courtois, mais, s'il est possible, plus silencieux encore.

«Voyons maintenant s'il parle», se demanda Hoffmann, et se tournant vers son voisin, il lui dit:

—Je vous prie d'excuser mon indiscrétion, monsieur, mais cette petite tête de mort en diamants qui orne votre tabatière m'avait étonné tout d'abord, car c'est un ornement rare sur une boîte à tabac.

—En effet, je crois que c'est la seule qu'on ait faite, répliqua l'inconnu d'une voix métallique, et dont les sons imitaient assez le bruit des pièces d'argent qu'on empile les unes sur les autres; elle me vient d'héritiers reconnaissants dont j'avais soigné le père.

—Vous êtes médecin?

—Oui, monsieur.

—Et vous aviez guéri le père de ces jeunes gens?

—Au contraire, monsieur, nous avons eu le malheur de le perdre.

—Je m'explique le mot reconnaissance.

Le médecin se mit à rire.

Ses réponses ne l'empêchaient pas de fredonner toujours, et, tout en fredonnant:

—Oui, reprit-il, je crois bien que j'ai tué ce vieillard.

—Comment tué?

—J'ai fait sur lui l'essai d'un remède nouveau. Oh! mon Dieu! au bout d'une heure il était mort. C'est vraiment fort drôle.

Et il se remit à chantonner.

—Vous paraissez aimer la musique, monsieur? demanda Hoffmann.

—Celle-ci surtout; oui, monsieur.

«Diable! pensa Hoffmann, voilà un homme qui se trompe en musique comme en médecine.

En ce moment on leva la toile.

L'étrange docteur huma une prise de tabac, et s'adossa le plus commodément possible dans sa stalle, comme un homme qui ne veut rien perdre du spectacle auquel il va assister.

Cependant, il dit à Hoffmann, comme par réflexion:

—Vous êtes allemand, monsieur?

—En effet.

—J'ai reconnu votre pays à votre accent. Beau pays, vilain accent.

Hoffmann s'inclina devant cette phrase faite d'une moitié de compliment et d'une moitié de critique.

—Et vous êtes venu en France, pourquoi?

—Pour voir.

—Et qu'est-ce que vous avez déjà vu?

—J'ai vu guillotiner, monsieur.

—Étiez-vous aujourd'hui à la place de la Révolution?

—J'y étais.

—Alors vous avez assisté à la mort de madame Du Barry?

—Oui, fit Hoffmann avec un soupir.

—Je l'ai beaucoup connue, continua le docteur avec un regard confidentiel, et qui poussait le mot *connue* jusqu'au bout de sa signification. C'était une belle fille, ma foi!

—Est-ce que vous l'avez soignée aussi?

—Non, mais j'ai soigné son Noir, Zamore.

—Le misérable! on m'a dit que c'est lui qui a dénoncé sa maîtresse.

—En effet, il était fort patriote, ce petit négrillon.

—Vous auriez bien dû faire de lui ce que vous avez fait du vieillard, vous savez, du vieillard à la tabatière.

—À quoi bon? il n'avait point d'héritiers, lui.

Et le rire du docteur tinta de nouveau.

—Et vous, monsieur, vous n'assistiez pas à cette exécution tantôt? reprit Hoffmann, qui se sentait pris d'un irrésistible besoin de parler de la pauvre créature dont l'image sanglante ne le quittait pas.

—Non. Était-elle maigrie?

—Qui?

—La comtesse.

—Je ne puis vous le dire, monsieur.

—Pourquoi cela?

—Parce que je l'ai vue pour la première fois sur la charrette.

—Tant pis. J'aurais voulu le savoir, car, moi, je l'avais connue très grasse; mais demain j'irai voir son corps. Ah! tenez, regardez cela.

Et en même temps le médecin montrait la scène où, en ce moment, M. Vestris, qui jouait le rôle de Pâris, apparaissait sur le mont Ida, et faisait toutes sortes de marivaudages avec la nymphe Œnone.

Hoffmann regarda ce que lui montrait son voisin mais après s'être assuré que ce sombre médecin était réellement attentif à la scène, et que ce qu'il venait d'entendre et de dire n'avait laissé aucune trace dans son esprit:

«Cela serait curieux de voir pleurer cet homme-là, se dit Hoffmann.

—Connaissez-vous le sujet de la pièce? reprit le docteur, après un silence de quelques minutes.

—Non, monsieur.

—Oh! c'est très intéressant. Il y a même des situations touchantes. Un de mes amis et moi, nous avions l'autre fois les larmes aux yeux.

—Un de mes amis, murmura le poète; qu'est-ce que cela peut être que l'ami de cet homme-là? Cela doit être un fossoyeur.

—Ah! bravo! bravo! Vestris, criota le petit homme en tapotant dans ses mains.

Le médecin avait choisi pour manifester son admiration le moment où Pâris, comme le disait le livre qu'Hoffmann avait acheté à la porte, saisit son javelot et vole au secours des pasteurs qui fuient épouvantés devant un lion terrible.

—Je ne suis pas curieux, mais j'aurais voulu voir le lion.

Ainsi se terminait le premier acte.

Alors le docteur se leva, se retourna, s'adossa à la stalle placée devant la sienne, et substituant une petite lorgnette à sa tabatière, il commença à lorgner les femmes qui composaient la salle.

Hoffmann suivait machinalement la direction de la lorgnette, et il remarquait avec étonnement que la personne sur qui elle se fixait tressaillait instantanément et tournait aussitôt les yeux vers celui qui la lorgnait, et cela comme si elle y eût été contrainte par une force invisible. Elle gardait cette position jusqu'à ce que le docteur cessât de la lorgner.

—Est-ce que cette lorgnette vous vient encore d'un héritier, monsieur? demanda Hoffmann.

—Non, elle me vient de M. de Voltaire.

—Vous l'avez donc connu aussi?

—Beaucoup, nous étions très liés.

—Vous étiez son médecin?

—Il ne croyait pas à la médecine. Il est vrai qu'il ne croyait pas à grand-chose.

—Est-il vrai qu'il soit mort en se confessant?

—Lui, monsieur, lui! Arouet! allons donc! non seulement il ne s'est pas confessé, mais encore il a joliment reçu le prêtre qui était venu l'assister. Je puis vous en parler savamment, j'étais là.

—Que s'est-il donc passé?

—Arouet allait mourir; Tersac, son curé, arrive et lui dit tout d'abord, comme un homme qui n'a pas de temps à perdre: Monsieur, reconnaissez-vous la trinité de Jésus-Christ?

—Monsieur, laissez-moi mourir tranquille, je vous prie, lui répond Voltaire.

—Cependant, monsieur, continue Tersac, il importe que je sache si vous reconnaissez Jésus-Christ comme fils de Dieu.

—Au nom du diable! s'écrie Voltaire, ne me parlez plus de cet homme-là. Et, réunissant le peu de force qui lui restait, il flanque un coup de poing sur la tête du curé, et il meurt. Ai-je ri, mon Dieu! ai-je ri!

—En effet, c'était risible, fit Hoffmann d'une voix dédaigneuse, et c'est bien ainsi que devait mourir l'auteur de *La Pucelle*.

—Ah oui, *La Pucelle*! s'écria l'homme noir, quel chef d'œuvre! monsieur, quelle admirable chose! Je ne connais qu'un livre qui puisse rivaliser avec celui-là.

—Lequel?

—*Justine*, de M. de Sade; connaissez-vous *Justine*?

—Non, monsieur.

—Et le marquis de Sade?

—Pas davantage.

—Voyez-vous, monsieur, reprit le docteur avec enthousiasme, *Justine*, c'est tout ce qu'on peut lire de plus immoral, c'est du Crébillon fils tout nu, c'est merveilleux. J'ai soigné une jeune fille qui l'avait lu.

—Et elle est morte comme votre vieillard?

—Oui, monsieur, mais elle est morte bien heureuse.

Et l'œil du médecin pétilla d'aise au souvenir des causes de cette mort.

On donna le signal du second acte. Hoffmann n'en fut pas fâché, son voisin l'effrayait.

—Ah! fit le docteur en s'asseyant, et avec un sourire de satisfaction, nous allons voir Arsène.

—Qui est-ce, Arsène?

—Vous ne la connaissez pas?

—Non, monsieur.

—Ah ça! vous ne connaissez donc rien, jeune homme? Arsène, c'est Arsène, c'est tout dire; d'ailleurs, vous allez voir.

Et, avant que l'orchestre eût donné une note, le médecin avait recommencé à fredonner l'introduction du second acte.

La toile se leva.

Le théâtre représentait un berceau de fleurs et de verdure, que traversait un ruisseau qui prenait sa source au pied d'un rocher.

Hoffmann laissa tomber sa tête dans sa main.

Décidément, ce qu'il voyait, ce qu'il entendait ne pouvait parvenir à le distraire de la douloureuse pensée et du lugubre souvenir qui l'avaient amené là où il était.

«Qu'est-ce que cela eût changé? pensa-t-il en rentrant brusquement dans les impressions de la journée, qu'est-ce que cela eût changé dans le monde, si l'on eût laissé vivre cette malheureuse femme? Quel mal cela aurait-il fait si ce cœur eût continué de battre, cette bouche de respirer? Quel malheur en fût-il advenu? Pourquoi interrompre brusquement tout cela? De quel droit arrêter la vie au milieu de son élan? Elle serait bien au milieu de toutes ces femmes, tandis qu'à cette heure son pauvre corps, le corps qui fut aimé d'un roi, gît dans la boue d'un cimetière, sans fleurs, sans croix, sans tête. Comme elle criait, mon Dieu! comme elle criait! Puis tout à coup....»

Hoffmann cacha son front dans ses mains.

«Qu'est-ce que je fais ici, moi? se dit-il; oh! je vais m'en aller.»

Et il allait peut-être s'en aller en effet, quand, en relevant la tête, il vit sur la scène une danseuse qui n'avait pas paru au premier acte, et que la salle entière regardait danser sans faire un mouvement, sans exhaler un souffle.

—Oh! que cette femme est belle! s'écria Hoffmann assez haut pour que ses voisins et la danseuse même l'entendissent.

Celle qui avait éveillé cette admiration subite regarda le jeune homme qui avait, malgré lui, poussé cette exclamation, et Hoffmann crut qu'elle le remerciait du regard.

Il rougit et tressaillit comme s'il eût été touché par de l'étincelle électrique.

Arsène, car c'était elle, c'est-à-dire cette danseuse dont le petit vieillard avait prononcé le nom, Arsène était réellement une bien admirable créature, et d'une beauté qui n'avait rien de la beauté traditionnelle.

Elle était grande, admirablement faite, et d'une pâleur transparente sous le rouge qui couvrait ses joues. Ses pieds étaient tout petits, et quand elle retombait sur le parquet du théâtre, on eût dit que la pointe de son pied reposait sur un nuage car on n'entendait pas le plus petit bruit. Sa taille était si mince, si souple, qu'une couleuvre ne se fût pas retournée sur elle-même comme cette femme le faisait. Chaque fois que, se cambrant, elle se penchait en arrière, on pouvait croire que son corset allait éclater, et l'on devinait, dans l'énergie de sa danse et dans l'assurance de son corps, et la certitude d'une beauté complète et cette ardente nature qui, comme celle de la Messaline antique, peut être quelquefois lassée, mais jamais assouvie. Elle ne souriait pas comme sourient ordinairement les danseuses, ses lèvres de pourpre ne s'entrouvraient presque jamais, non pas qu'elles eussent de vilaines dents à cacher, non, car, dans le sourire qu'elle avait adressé à Hoffmann quand il l'avait si naïvement admirée tout haut, notre poète avait pu voir une double rangée de perles si blanches, si pures, qu'elle les cachait sans doute derrière ses lèvres pour que l'air ne les ternît point. Dans ses cheveux noirs et luisants, avec des reflets bleus, s'enroulaient de larges feuilles d'acanthe, et se suspendaient des grappes de raisin dont l'ombre courait sur ses épaules nues. Quant aux yeux, ils étaient grands, limpides, noirs, brillants, à ce point qu'ils éclairaient tout autour d'eux, et qu'eût-elle dansé dans la nuit, Arsène eût illuminé la place où elle eût dansé. Ce qui ajoutait encore à l'originalité de cette fille, c'est que, sans raison aucune, elle portait dans ce rôle de nymphe, car elle jouait ou plutôt elle dansait une nymphe, elle portait, disons-nous, un petit collier de velours noir, fermé par une boucle, ou, du moins, par un objet qui paraissait avoir la forme d'une boucle, et qui, fait en diamants, jetait des feux éblouissants.

Le médecin regardait cette femme de tous ses yeux, et son âme, l'âme qu'il pouvait avoir, semblait suspendue au vol de la jeune femme. Il est bien évident que, tant qu'elle dansait, il ne respirait pas.

Alors Hoffmann put remarquer une chose curieuse: qu'elle allât à droite, à gauche, en arrière ou en avant, jamais les yeux d'Arsène ne quittaient la ligne des yeux du docteur et une visible corrélation était établie entre les deux regards. Bien plus, Hoffmann voyait très distinctement les rayons que jetait la boucle du collier d'Arsène et ceux que jetait la tête de mort du docteur se rencontrer à moitié chemin dans une ligne droite, se heurter, se repousser et rejaillir en une même gerbe faite de milliers d'étincelles blanches, rouges et or.

—Voulez-vous me prêter votre lorgnette, monsieur? dit Hoffmann, haletant et sans détourner la tête, car il lui était impossible à lui aussi de cesser de regarder Arsène.

Le docteur étendit la main vers Hoffmann sans faire le moindre mouvement de la tête, si bien que les mains des deux spectateurs se cherchèrent quelques instants dans le vide avant de se rencontrer.

Hoffmann saisit enfin la lorgnette et y colla ses yeux.

—C'est étrange, murmura-t-il.

—Quoi donc? demanda le docteur.

—Rien, rien, reprit Hoffmann qui voulait donner toute son attention à ce qu'il voyait; en réalité ce qu'il voyait était étrange.

La lorgnette rapprochait tellement les objets à ses yeux, que deux ou trois fois Hoffmann étendit la main, croyant saisir Arsène qui ne paraissait plus être au bout du verre qui la reflétait, mais bien entre les deux verres de la lorgnette. Notre Allemand ne perdait donc aucun détail de la beauté de la danseuse, et ses regards, déjà si brillants de loin, entouraient son front d'un cercle de feu, et faisaient bouillir le sang dans les veines de ses tempes.

L'âme du jeune homme faisait un effroyable bruit dans son corps.

—Quelle est cette femme? dit-il d'une voix faible sans quitter la lorgnette et sans remuer.

—C'est Arsène, je vous l'ai déjà dit, répliqua le docteur, dont les lèvres seules semblaient vivantes et dont le regard immobile était rivé à la danseuse.

—Cette femme a un amant, sans doute?

—Quoi?

—Qu'elle aime?

—On le dit.

—Et il est riche?

—Très riche.

—Qui est-ce?

—Regardez à gauche dans l'avant-scène du rez-de-chaussée.

—Je ne puis pas tourner la tête.

—Faites un effort.

Hoffmann fit un effort si douloureux, qu'il poussa un cri, comme si les nerfs de son cou étaient devenus de marbre et se fussent brisés dans ce moment.

Il regarda dans l'avant-scène indiquée.

Dans cette avant-scène il n'y avait qu'un homme, mais, cet homme, accroupi comme un lion sur la balustrade de velours, semblait à lui seul remplir cette avant-scène.

C'était un homme de trente-deux ou trente-trois ans, au visage labouré par les passions; on eût dit que, non pas la petite vérole, mais l'éruption d'un volcan avait creusé les vallées dont les profondeurs s'entrecroisaient sur cette chair toute bouleversée; ses yeux avaient dû être petits, mais ils s'étaient ouverts par une espèce de déchirement de l'âme; tantôt ils étaient atones et vides comme un cratère éteint, tantôt ils versaient des flammes comme un cratère rayonnant. Il n'applaudissait pas en rapprochant ses mains l'une de l'autre, il applaudissait en frappant sur la balustrade, et, à chaque applaudissement, il semblait ébranler la salle.

—Oh! fit Hoffmann, est-ce un homme que je vois là?

—Oui, oui, c'est un homme, répondit le petit homme noir; oui, c'est un homme, et un fier homme même.

—Comment s'appelle-t-il?

—Vous ne le connaissez pas?

—Mais non, je suis arrivé hier seulement.

—Eh bien! c'est Danton.

—Danton! fit Hoffmann en tressaillant. Oh! oh! Et c'est l'amant d'Arsène?

—C'est son amant.

—Et sans doute il l'aime?

—À la folie. Il est d'une jalousie féroce.

Mais si intéressant que fût Danton, Hoffmann avait déjà reporté les yeux sur Arsène, dont la danse silencieuse avait une apparence fantastique.

—Encore un renseignement, monsieur.

—Parlez.

—Quelle forme a l'agrafe qui ferme son collier?

—C'est une guillotine.

—Une guillotine!

—Oui. On en fait de charmantes, et toutes nos élégantes en portent au moins une. Celle que porte Arsène, c'est Danton qui la lui a donnée.

—Une guillotine, une guillotine au cou d'une danseuse! répéta Hoffmann, qui sentait son cerveau se gonfler; une guillotine, pourquoi?...

Et notre Allemand, qu'on eût pu prendre pour un fou, allongeait les bras devant lui, comme pour saisir un corps, car, par un effet étrange d'optique, la distance qui le séparait d'Arsène disparaissait par moments, et il lui semblait sentir l'haleine de la danseuse sur son front, et entendre la brûlante respiration de cette poitrine, dont les seins, à moitié nus, se soulevaient comme sous une étreinte de plaisir. Hoffmann en était à cet état d'exaltation où l'on croit respirer du feu, et où l'on craint que les sens ne fassent éclater le corps.

—Assez! assez! disait-il.

Mais la danse continuait, et l'hallucination était telle, que, confondant ses deux impressions les plus fortes de la journée, l'esprit d'Hoffmann mêlait à cette scène le souvenir de la place de la Révolution, et que tantôt il croyait voir madame Du Barry, pâle et la tête tranchée, danser à la place d'Arsène, et tantôt Arsène arriver en dansant jusqu'au pied de la guillotine et jusqu'aux mains du bourreau.

Il se faisait dans l'imagination exaltée du jeune homme un mélange de fleurs et de sang, de danse et d'agonie, de vie et de mort.

Mais ce qui dominait tout cela, c'était l'attraction électrique qui le poussait vers cette femme. Chaque fois que ces deux jambes fines passaient devant ses yeux, chaque fois que cette jupe transparente se soulevait un peu plus, un frémissement parcourait tout son être, sa lèvre devenait sèche, son haleine brûlante, et le désir entrait en lui comme il entre dans un homme de vingt ans.

Dans cet état, Hoffmann n'avait plus qu'un refuge, c'était le portrait d'Antonia, c'était le médaillon qu'il portait sur sa poitrine, c'était l'amour pur à opposer à l'amour sensuel; c'était la force du chaste souvenir à mettre en face de l'exigeante réalité.

Il saisit ce portrait et le porta à ses lèvres; mais, à peine avait-il fait ce mouvement, qu'il entendit le ricanement aigu de son voisin qui le regardait d'un air railleur.

—Laissez-moi sortir, s'écria-t-il, laissez-moi sortir; je ne saurais rester plus longtemps ici!

Et, semblable à un fou, il quitta l'orchestre, marchant sur les pieds, heurtant les jambes des tranquilles spectateurs, qui maugréaient contre cet original à qui il prenait ainsi fantaisie de sortir au milieu d'un ballet.

CHAPITRE XI.

La deuxième représentation du «Jugement de Paris».

Mais l'élan d'Hoffmann ne le poussa pas bien loin. Au coin de la rue Saint-Martin il s'arrêta.

Sa poitrine était haletante, son front ruisselant de sueur.

Il passa la main gauche sur son front, appuya sa main droite sur sa poitrine et respira.

En ce moment on lui toucha sur l'épaule.

Il tressaillit.

—Ah! pardieu, c'est lui! dit une voix.

Il se retourna et laissa échapper un cri.

C'était son ami Zacharias Werner. Les deux jeunes gens se jetèrent dans les bras l'un de l'autre.

Puis ces deux questions se croisèrent:

—Que faisais-tu là?

—Où vas-tu?

—Je suis arrivé d'hier, dit Hoffmann, j'ai vu guillotiner Mme Du Barry, et, pour me distraire, je suis venu à l'Opéra.

—Moi, je suis arrivé depuis six mois, depuis cinq je vois guillotiner tous les jours vingt ou vingt-cinq personnes, et, pour me distraire, je vais au jeu.

—Ah!

—Viens-tu avec moi?

—Non, merci.

—Tu as tort, je suis en veine; avec ton bonheur habituel, tu ferais fortune. Tu dois t'ennuyer horriblement à l'Opéra, toi qui es habitué à de la vraie musique; viens avec moi, je t'en ferai entendre.

—De la musique?

—Oui, celle de l'or; sans compter que là où je vais tous les plaisirs sont réunis: des femmes charmantes, des soupers délicieux, un jeu féroce!

—Merci, mon ami, impossible! j'ai promis, mieux que cela, j'ai juré.

—À qui?

—À Antonia.

—Tu l'as donc vue?

—Je l'aime, mon ami, je l'adore.

—Ah! je comprends, c'est cela qui t'a retardé, et tu lui as juré?...

—Je lui ai juré de ne pas jouer, et....

Hoffmann hésita.

—Et puis quoi encore?

—Et de lui rester fidèle, balbutia-t-il.

—Alors il ne faut pas venir au 113.

—Qu'est-ce que le 113?

—C'est la maison dont je te parlais tout à l'heure; moi, comme je n'ai rien juré, j'y vais. Adieu, Théodore.

—Adieu, Zacharias.

Et Werner s'éloigna, tandis qu'Hoffmann demeurait cloué à sa place.

Quand Werner fut à cent pas, Hoffmann se rappela qu'il avait oublié de demander à Zacharias son adresse, et que la seule adresse que Zacharias lui eût donnée, c'était celle de la maison de jeu.

Mais cette adresse était écrite dans le cerveau d'Hoffmann comme sur la porte de la maison fatale, en chiffres de feu!

Cependant ce qui venait de se passer avait un peu calmé les remords d'Hoffmann. La nature humaine est ainsi faite, toujours indulgente pour soi, attendu que son indulgence c'est de l'égoïsme.

Il venait de sacrifier le jeu à Antonia, et il se croyait quitte de son serment: oubliant que c'était parce qu'il était tout prêt à manquer à la moitié la plus importante de ce serment, qu'il était là cloué au coin du boulevard et de la rue Saint-Martin.

Mais, je l'ai dit, sa résistance à l'endroit de Werner lui avait donné de l'indulgence à l'endroit d'Arsène. Il résolut donc de prendre un terme moyen, et, au lieu de rentrer dans la salle de l'Opéra, action à laquelle le poussait de toutes ses forces son démon tentateur, d'attendre à la porte des acteurs pour la voir sortir.

Cette porte des acteurs, Hoffmann connaissait trop la topographie des théâtres pour ne pas la trouver bientôt. Il vit, rue de Bondy, un long couloir éclairé à peine, sale et humide, dans lequel passaient, comme des ombres, des hommes aux vêtements sordides, et il comprit que c'était par cette porte qu'entraient et sortaient les pauvres mortels que le rouge, le blanc, le bleu, la gaze, la soie et les paillettes transformaient en dieux et déesses.

Le temps s'écoulait, la neige tombait, mais Hoffmann était si agité par cette étrange apparition, qui avait quelque chose de surnaturel, qu'il n'éprouvait pas cette sensation de froid qui semblait poursuivre les passants. Vainement condensait-il en vapeurs presque palpables le souffle qui sortait de sa bouche, ses mains n'en restaient pas moins brûlantes et son front humide. Il y a plus: arrêté contre la muraille, il y était resté immobile, les yeux fixés sur le corridor; de sorte que la neige, qui allait toujours tombant en flocons plus épais, couvrait lentement le jeune homme comme d'un linceul; et du jeune étudiant coiffé de sa casquette et vêtu de la redingote allemande, faisait peu à peu une statue de marbre. Enfin commencèrent à sortir, par ce vomitoire, les premiers libérés par le spectacle, c'est-à-dire la garde de la soirée, puis les machinistes, puis tout ce monde sans nom qui vit du théâtre, puis les artistes mâles, moins longs à s'habiller que les femmes, puis enfin les femmes, puis enfin là belle danseuse, qu'Hoffmann reconnut non seulement à son charmant visage, mais à ce souple mouvement de hanches qui n'appartenait qu'à elle, mais encore à ce petit collier de velours qui serrait son col, et sur lequel étincelait l'étrange bijou que la Terreur venait de mettre à la mode.

À peine Arsène apparut-elle sur le seuil de la porte, qu'avant même qu'Hoffmann eût le temps de faire un mouvement, une voiture s'avança rapidement, la portière s'ouvrit, la jeune fille s'y élança aussi légère que si elle bondissait encore sur le théâtre. Une ombre apparut à travers les vitres, qu'Hoffmann crut reconnaître pour celle de l'homme de l'avant-scène, laquelle ombre reçut la belle nymphe dans ses bras; puis, sans qu'aucune voix eût eu besoin de désigner un but au cocher, la voiture s'éloigna au galop.

Tout ce que nous venons de raconter en quinze ou vingt lignes s'était passé aussi rapidement que l'éclair.

Hoffmann jeta une espèce de cri en voyant fuir la voiture, se détacha de la muraille, pareil à une statue qui s'élance de sa niche, et, secouant par le mouvement la neige dont il était couvert, se mit à la poursuite de la voiture.

Mais elle était emportée par deux trop puissants chevaux, pour que le jeune homme, si rapide que fût sa course irréfléchie, pût les rejoindre.

Tant qu'elle suivit le boulevard, tout alla bien; tant qu'elle suivit même la rue de Bourbon-Villeneuve, qui venait d'être débaptisée pour prendre le nom de rue *Neuve-Égalité*, tout alla bien encore; mais, arrivée à la place des Victoires, devenue la place de la *Victoire Nationale*, elle prit à droite, et disparut aux yeux d'Hoffmann.

N'étant plus soutenue ni par le bruit ni par la vue, la course du jeune homme faiblit un instant. Il s'arrêta au coin de la rue Neuve-Eustache, s'appuya à la muraille pour reprendre haleine, puis, ne voyant plus rien, n'entendant plus rien, il s'orienta, jugeant qu'il était temps de rentrer chez lui.

Ce ne fut pas chose facile pour Hoffmann que de se tirer de ce dédale de rues, qui forment un réseau presque inextricable de la pointe Saint-Eustache au quai de la Ferraille. Enfin, grâce aux nombreuses patrouilles qui circulaient dans les rues, grâce à son passeport bien en règle, grâce à la preuve qu'il n'était arrivé que la veille, preuve que le visa de la barrière lui donnait la facilité de fournir, il obtint de la milice citoyenne des renseignements si précis, qu'il parvint à regagner son hôtel et à retrouver sa petite chambre, où il s'enferma seul en apparence, mais, en réalité, avec le souvenir ardent de ce qui s'était passé.

À partir de ce moment, Hoffmann fut éminemment en proie à deux visions: dont l'une s'effaçait peu à peu, dont l'autre prenait peu à peu plus de consistance.

La vision qui s'effaçait, c'était la figure pâle et échevelée de la Du Barry, traînée de la Conciergerie à la charrette et de la charrette à l'échafaud.

La vision qui prenait de la réalité, c'était la figure animée et souriante de la belle danseuse, bondissant du fond du théâtre à la rampe, et tourbillonnant de la rampe à l'une et à l'autre avant-scène.

Hoffmann fit tous ses efforts pour se débarrasser de cette vision. Il tira ses pinceaux de sa malle et peignit; il tira son violon de sa boîte et joua du violon; il demanda une plume et de l'encre et fit des vers. Mais ces vers qu'il composait, c'étaient des vers à la louange d'Arsène; cet air qu'il jouait, c'était l'air sur lequel elle lui était apparue, et dont les notes bondissantes la soulevaient, comme si elles eussent eu des ailes; enfin, les esquisses qu'il faisait, c'était son portrait avec ce même collier de velours, étrange ornement fixé au cou d'Arsène par une si étrange agrafe.

Pendant toute la nuit, pendant toute la journée du lendemain, pendant toute la nuit et toute la journée du surlendemain, Hoffmann ne vit qu'une chose ou plutôt que deux choses: c'était, d'un côté, la fantastique danseuse, et, de l'autre côté, le non moins fantastique docteur. Il y avait entre ces deux êtres une telle corrélation, qu'Hoffmann ne comprenait pas l'un sans l'autre. Aussi n'était-ce pas, pendant cette hallucination qui lui offrait Arsène toujours bondissant sur le théâtre, l'orchestre qui bruissait à ses oreilles; non, c'était le petit chantonnement du docteur, c'était le petit tambourinement de ses doigts sur la tabatière d'ébène; puis, de temps en temps, un éclair passait devant ses yeux, l'aveuglant d'étincelles jaillissantes; c'était le double rayon qui s'élançait de la tabatière du docteur et du collier de la danseuse; c'était l'attraction sympathique de cette guillotine de diamants avec cette tête de mort en diamants; c'était enfin la fixité des yeux du médecin qui semblaient à sa volonté attirer et repousser la charmante danseuse, comme l'œil du serpent attire et repousse l'oiseau qu'il fascine.

Vingt fois, cent fois, mille fois, l'idée s'était présentée à Hoffmann de retourner à l'Opéra; mais, tant que l'heure n'était pas venue, Hoffmann s'était bien promis de ne pas céder à la tentation; d'ailleurs, cette tentation, il l'avait combattue de toutes manières, en ayant recours à son médaillon d'abord, puis ensuite en essayant d'écrire à Antonia; mais le portrait d'Antonia semblait avoir pris un visage si triste, qu'Hoffmann refermait le médaillon presque aussitôt qu'il l'avait ouvert; mais les premières lignes de chaque lettre qu'il commençait étaient si embarrassées, qu'il avait déchiré dix lettres avant d'être au tiers de la première page.

Enfin, ce fameux surlendemain s'écoula; enfin l'ouverture du théâtre s'approcha; enfin sept heures sonnèrent, et, à ce dernier appel, Hoffmann, enlevé comme malgré lui, descendit tout courant son escalier, et s'élança dans la direction de la rue Saint-Martin.

Cette fois, en moins d'un quart d'heure, cette fois, sans avoir besoin de demander son chemin à personne, cette fois, comme si un guide invisible lui eût montré sa route, en moins de dix minutes il arriva à la porte de l'Opéra.

Mais, chose singulière! cette porte, comme deux jours auparavant, n'était pas encombrée de spectateurs, soit qu'un incident inconnu d'Hoffmann eût rendu le spectacle moins attrayant, soit que les spectateurs fussent déjà dans l'intérieur du théâtre.

Hoffmann jeta son écu de six livres à la buraliste, reçut son carton et s'élança dans la salle.

Mais l'aspect de la salle était bien changé. D'abord elle n'était qu'à moitié pleine; puis, à la place de ces femmes charmantes, de ces hommes élégants qu'il avait cru revoir, il ne vit que des femmes en casaquin et des hommes en carmagnole; pas de bijoux, pas de fleurs, pas de seins nus s'enflant et se désenflant sous cette atmosphère voluptueuse des théâtres aristocratiques; des bonnets ronds et des bonnets rouges, le tout orné d'énormes cocardes nationales; des couleurs sombres dans les vêtements, un nuage triste sur les figures; puis, des deux côtés de la salle, deux bustes hideux, deux têtes grimaçant, l'une le rire, l'autre la douleur, les bustes de Voltaire et de Marat enfin.

Enfin, à l'avant-scène, un trou à peine éclairé, une ouverture sombre et vide. La caverne toujours, mais plus de lion.

Il y avait à l'orchestre deux places vacantes à côté l'une de l'autre. Hoffmann gagna l'une de ces deux places, c'était celle qu'il avait occupée. L'autre était celle qu'avait occupée le docteur, mais, comme nous l'avons dit, cette place était vacante.

Le premier acte fut joué sans qu'Hoffmann fit attention à l'orchestre ou s'occupât des acteurs.

Cet orchestre, il le connaissait et l'avait apprécié à une première audition.

Ces acteurs lui importaient peu, il n'était pas venu pour les voir, il était venu pour voir Arsène.

La toile se leva sur le second acte, et le ballet commença.

Toute l'intelligence, toute l'âme, tout le cœur du jeune homme étaient suspendus.

Il attendait l'entrée d'Arsène.

Tout à coup Hoffmann jeta un cri.

Ce n'était plus Arsène qui remplissait le rôle de Flore.

La femme qui apparaissait était une femme étrangère, une femme comme toutes les femmes.

Toutes les fibres de ce corps haletant se détendirent; Hoffmann s'affaissa sur lui-même en poussant un long soupir, et regarda autour de lui.

Le petit homme noir était à sa place; seulement il n'avait plus ses boucles en diamants, ses bagues en diamants, sa tabatière à tête de mort en diamants.

Ses boucles étaient en cuivre, ses bagues en argent doré, sa tabatière en argent mat. Il ne chantonnait plus, il ne battait plus la mesure. Comment était-il venu là? Hoffmann n'en savait rien: il ne l'avait ni vu venir, ni senti passer.

—Oh! monsieur! s'écria Hoffmann.

—Dites citoyen, mon jeune ami, et même tutoyez-moi... si c'est possible, répondit le petit homme noir, ou vous me ferez couper la tête et à vous aussi.

—Mais où est-elle donc? demanda Hoffmann.

—Ah! voilà.... Où est-elle? Il paraît que son tigre, qui ne la quitte pas des yeux, s'est aperçu qu'avant-hier elle a correspondu par signes avec un jeune homme de l'orchestre. Il paraît que ce jeune homme a couru après la voiture; de sorte que depuis hier il a rompu l'engagement d'Arsène, et qu'Arsène n'est plus au théâtre.

—Et comment le directeur a-t-il souffert?...

—Mon jeune ami, le directeur tient à conserver sa tête sur ses épaules, quoique ce soit une assez vilaine tête; mais il prétend qu'il a l'habitude de cette tête-là et qu'une autre plus belle ne reprendrait peut-être pas bouture.

—Ah! mon Dieu! voilà donc pourquoi cette salle est si triste! s'écria Hoffmann. Voilà pourquoi il n'y a plus de fleurs, plus de diamants, plus de bijoux! voilà pourquoi vous n'avez plus vos boucles en diamants! Voilà pourquoi il y a, enfin, aux deux côtés de la scène, au lieu des bustes d'Apollon et de Terpsichore, ces deux affreux bustes! Pouah!

—Ah çà! mais, que me dites-vous donc là, demanda le docteur, et où avez-vous vu une salle telle que vous dites? Où m'avez-vous vu des bagues en diamants, des tabatières en diamants? où avez-vous vu enfin les bustes d'Apollon et de Terpsichore? Mais il y a deux ans que les fleurs ne fleurissent plus, que les diamants sont tournés en assignats, et que les bijoux sont fondus sur l'autel de la patrie. Quant à moi, Dieu merci! je n'ai jamais eu d'autres boucles que ces boucles de cuivre, d'autres bagues que cette méchante bague de vermeil, et d'autre tabatière que cette pauvre tabatière d'argent; pour les bustes d'Apollon et de Terpsichore, ils y ont été autrefois, mais les amis de l'humanité sont venus casser le buste d'Apollon et l'ont remplacé par celui de l'apôtre Voltaire; mais les amis du peuple sont venus briser le buste de Terpsichore et l'ont remplacé par celui du dieu Marat.

—Oh! s'écria Hoffmann, c'est impossible. Je vous dis qu'avant-hier j'ai vu une salle parfumée de fleurs, resplendissante de riches costumes, ruisselante de diamants, et des hommes élégants à la place de ces harengères en casaquin et de ces goujats en carmagnole. Je vous dis que vous aviez des boucles de diamants à vos souliers, des bagues en diamants à vos doigts, une tête de mort en diamants sur votre tabatière; je vous dis....

—Et moi, jeune homme, à mon tour, je vous dis, reprit le petit homme noir, je vous dis qu'avant-hier elle était là, je vous dis que sa présence illuminait tout, je vous dis que son souffle faisait naître les roses, faisait reluire les bijoux, faisait étinceler les diamants de votre imagination; je vous dis que vous l'aimez, jeune homme, et que vous avez vu la salle à travers le prisme de votre amour. Arsène n'est plus là, votre cœur est mort, vos yeux sont désenchantés, et vous voyez du molleton, de l'indienne, du gros drap, des bonnets rouges, des mains sales et des cheveux crasseux. Vous voyez enfin le monde tel qu'il est, les choses telles qu'elles sont.

—Oh! mon Dieu! s'écria Hoffmann, en laissant tomber sa tête dans ses mains, tout cela est-il vrai, et suis-je donc si près de devenir fou?

CHAPITRE XII.

L'estaminet.

Hoffmann ne sortit de cette léthargie qu'en sentant une main se poser sur son épaule.

Il leva la tête. Tout était noir et éteint autour de lui: le théâtre, sans lumière, lui apparaissait comme le cadavre du théâtre qu'il avait vu vivant. Le soldat de garde s'y promenait seul et silencieux comme le gardien de la mort; plus de lustres, plus d'orchestre, plus de rayon, plus de bruit.

Une voix seulement qui marmottait à son oreille:

—Mais, citoyen, mais, citoyen, que faites-vous donc? vous êtes à l'Opéra, citoyen; on dort ici, c'est vrai, mais on n'y couche pas.

Hoffmann regarda enfin du côté d'où venait la voix, et il vit une petite vieille qui le tirait par le collet de sa redingote.

C'était l'ouvreuse de l'orchestre, qui, ne connaissant pas les intentions de ce spectateur obstiné, ne voulait pas se retirer sans l'avoir vu sortir devant elle.

Au reste, une fois tiré de son sommeil, Hoffmann ne fit aucune résistance; il poussa un soupir et se leva en murmurant le mot:

—Arsène!

—Ah oui! Arsène, dit la petite vieille. Arsène! vous aussi, jeune homme, vous en êtes amoureux comme tout le monde. C'est une grande perte pour l'Opéra, surtout pour nous autres ouvreuses.

—Pour vous autres ouvreuses, demanda Hoffmann, heureux de se rattacher à quelqu'un qui lui parlât de la danseuse, et comment donc est-ce une perte pour vous qu'Arsène soit ou ne soit plus au théâtre?

—Ah dame! c'est bien facile à comprendre cela: d'abord, toutes les fois qu'elle dansait, elle faisait salle comble; alors c'était un commerce de tabourets, de chaises et de petits bancs; à l'Opéra, tout se paye. On payait les petits bancs, les chaises et les tabourets de supplément, c'étaient nos petits profits. Je dis petits profits, ajouta la vieille d'un air malin, parce qu'à côté de ceux-là, citoyen, vous comprenez, il y avait les grands.

—Les grands profits?

—Oui.

Et la vieille cligna de l'œil.

—Et quels étaient les grands profits? voyons, ma bonne femme.

—Les grands profits venaient de ceux qui demandaient des renseignements sur elle, qui voulaient savoir son adresse, qui lui faisaient passer des billets. Il y avait prix pour tout, vous comprenez; tant pour les renseignements, tant pour l'adresse, tant pour le poulet; on faisait son petit commerce, enfin, et l'on vivait honnêtement.

Et la vieille poussa un soupir qui, sans désavantage, pouvait être comparé au soupir poussé par Hoffmann au commencement du dialogue que nous venons de rapporter.

—Ah! ah! fit Hoffmann, vous vous chargiez de donner des renseignements, d'indiquer l'adresse, de remettre les billets; vous en chargez-vous toujours?

—Hélas, monsieur, les renseignements que je vous donnerais vous seraient inutiles maintenant; personne ne sait plus l'adresse d'Arsène, et le billet que vous me donneriez pour elle serait perdu. Si vous voulez pour une autre? Mme Vestris, mlle Bigottini, mlle....

—Merci, ma bonne femme, merci; je ne désirais rien savoir que sur mademoiselle Arsène.

Puis, tirant un petit écu de sa poche:

—Tenez, dit Hoffmann, voilà pour la peine que vous avez prise de m'éveiller.

Et, prenant congé de la vieille, il reprit d'un pas lent le boulevard, avec l'intention de suivre le même chemin qu'il avait suivi la surveille, l'instinct qui l'avait guidé pour venir n'existait plus.

Seulement, ses impressions étaient bien différentes, et sa marche se ressentait de la différence de ces impressions.

L'autre soir, sa marche était celle d'un homme qui a vu passer l'Espérance et qui court après elle, sans réfléchir que Dieu lui a donné ses longues ailes d'azur pour que les hommes ne l'atteignent jamais. Il avait la bouche ouverte et haletante, le front haut, les bras étendus; cette fois, au contraire, il marchait lentement, comme l'homme qui, après l'avoir poursuivie inutilement, vient de la perdre de vue; sa bouche était serrée, son front abattu, ses bras tombants. L'autre fois il avait mis cinq minutes à peine pour aller de la porte Saint-Martin à la rue Montmartre; cette fois il mit plus d'une heure, et plus d'une heure encore pour aller de la rue Montmartre à son hôtel; car, dans l'espèce d'abattement où il était tombé, peu lui importait de rentrer tôt ou tard, peu lui importait même de ne pas rentrer du tout.

On dit qu'il y a un Dieu pour les ivrognes et les amoureux; ce Dieu-là, sans doute, veillait sur Hoffmann. Il lui fit éviter les patrouilles; il lui fit trouver les quais, puis les ponts, puis son hôtel, où il rentra, au grand scandale de son hôtesse, à une heure et demie du matin.

Cependant, au milieu de tout cela, une petite lueur dorée dansait au fond de l'imagination d'Hoffmann, comme un feu follet dans la nuit. Le médecin lui avait dit, si toutefois ce médecin existait, si ce n'était pas son imagination, une hallucination de son esprit; le médecin lui avait dit qu'Arsène avait été enlevée au théâtre par son amant, attendu que cet amant avait été jaloux d'un jeune homme placé à l'orchestre, avec lequel Arsène avait échangé de trop tendres regards.

Ce médecin avait ajouté, en outre, que ce qui avait porté la jalousie du tyran à son comble, c'est que ce même jeune homme avait été vu embusqué en face de la porte de sortie des artistes; c'est que ce même jeune homme avait couru en désespéré derrière la voiture; or, ce jeune homme qui avait échangé de l'orchestre des regards passionnés avec Arsène, c'était lui, Hoffmann; or, ce jeune homme qui s'était embusqué à la porte de sortie des artistes, c'était toujours lui, Hoffmann. Donc Arsène l'avait remarqué, puisqu'elle payait la peine de sa distraction; donc Arsène souffrait pour lui; il était entré dans la vie de la belle danseuse par la porte de la douleur, mais il y était entré, c'était le principal; à lui de s'y maintenir. Mais comment? par quel moyen? par quelle voie correspondre avec Arsène, lui donner de ses nouvelles, lui dire qu'il l'aimait? C'eût été déjà une grande tâche pour un Parisien pur sang, que de retrouver cette belle Arsène perdue dans cette immense ville. C'était une tâche impossible pour Hoffmann, arrivé depuis trois jours et ayant grand-peine à se retrouver lui-même.

Hoffmann ne se donna donc même pas la peine de chercher; il comprenait que le hasard seul pouvait venir à son aide. Tous les deux jours, il regardait l'affiche de l'Opéra, et tous les deux jours il avait la douleur de voir que Paris rendait son jugement en l'absence de celle qui méritait la pomme bien autrement que Vénus.

Dès lors il ne songea pas à aller à l'Opéra.

Un instant il eut bien l'idée d'aller soit à la Convention, soit aux Cordeliers, de s'attacher aux pas de Danton et, en l'épiant jour et nuit, de deviner où il avait caché la belle danseuse. Il alla même à la

Convention, il alla même aux Cordeliers; mais Danton n'y était plus; las de la lutte qu'il soutenait depuis deux ans, vaincu par l'ennui bien plus que par la supériorité, Danton paraissait s'être retiré de l'arène politique.

Danton, disait-on, était à sa maison de campagne. Où était cette maison de campagne? on n'en savait rien; les uns disaient à Rueil, les autres à Auteuil.

Danton était aussi introuvable qu'Arsène.

On eût cru peut-être que cette absence d'Arsène eût dû ramener Hoffmann à Antonia; mais, chose étrange! il n'en était rien. Hoffmann avait beau faire tous ses efforts pour ramener son esprit à la pauvre fille du chef d'orchestre de Mannheim: un instant, par la puissance de sa volonté, tous ses souvenirs se concentraient sur le cabinet de maître Gottlieb Murr; mais, au bout d'un moment, partitions entassées sur les tables et sur les pianos, maître Gottlieb trépignant devant son pupitre, Antonia couchée sur son canapé, tout cela disparaissait pour faire place à un grand cadre éclairé, dans lequel se mouvaient d'abord des ombres; puis ces ombres prenaient du corps, puis ces corps affectaient des formes mythologiques, puis enfin toutes ces formes mythologiques, tous ces héros, toutes ces nymphes, tous ces dieux, tous ces demi-dieux disparaissaient pour faire place à une seule déesse, à la déesse des jardins, à la belle Flore, c'est-à-dire à la divine Arsène, à la femme au collier de velours et à l'agrafe de diamants; alors Hoffmann tombait non plus dans une rêverie, mais dans une extase dont il ne venait à sortir qu'en se rejetant dans la vie réelle, qu'en coudoyant les paysans dans la rue, qu'en se roulant enfin dans la foule et dans le bruit.

Lorsque cette hallucination, à laquelle Hoffmann était en proie, devenait trop forte, il sortait donc, se laissait aller à la pente du quai, prenait le Pont-Neuf, et ne s'arrêtait presque jamais qu'au coin de la rue de la Monnaie. Là, Hoffmann avait trouvé un estaminet, rendez-vous des plus rudes fumeurs de la capitale. Là, Hoffmann pouvait se croire dans quelque taverne anglaise, dans quelque musico hollandais ou dans quelque table d'hôte allemande, tant la fumée de la pipe y faisait une atmosphère impossible à respirer pour tout autre que pour un fumeur de première classe.

Une fois entré dans l'estaminet de la Fraternité, Hoffmann gagnait une petite table sise à l'angle le plus enfoncé, demandait une bouteille de bière de la brasserie de M. Santerre, qui venait de se démettre, en faveur de M. Henriot, de son grade de général de la garde nationale de Paris, chargeait jusqu'à la gueule cette immense pipe que nous connaissons déjà, et s'enveloppait en quelques instants d'un nuage de fumée aussi épais que celui dont la belle Vénus enveloppait son fils Énée, chaque fois que la tendre mère jugeait urgent d'arracher son fils bien-aimé à la colère de ses ennemis.

Huit ou dix jours étaient écoulés depuis l'aventure d'Hoffmann à l'Opéra, et, par conséquent, depuis la disparition de la belle danseuse; il était une heure de l'après-midi; Hoffmann, depuis une demi-heure, à peu près, se trouvait dans son estaminet, s'occupant, de toute la force de ses poumons, à établir autour de lui cette enceinte de fumée qui le séparait de ses voisins, quand il lui sembla, dans la vapeur, distinguer comme une forme humaine, puis, dominant tous les bruits, entendre le double bruit du chantonnement et du tambourinement habituel au petit homme noir; de plus, au milieu de cette vapeur, il lui semblait qu'un point lumineux dégageait des étincelles; il rouvrit ses yeux à demi fermés par une douce somnolence, écarta ses paupières avec peine, et, en face de lui, assis sur un tabouret, il reconnut son voisin de l'Opéra, et cela d'autant mieux que le fantastique docteur avait, ou plutôt semblait avoir, ses boucles en diamants à ses souliers, ses bagues en diamants à ses doigts et sa tête de mort sur sa tabatière.

—Bon, dit Hoffmann, voilà que je redeviens fou.

Et il ferma rapidement les yeux.

Mais, les yeux une fois fermés, plus ils le furent hermétiquement, plus Hoffmann entendit, et le petit accompagnement de chant, et le petit tambourinement des doigts; le tout de la façon la plus distincte, si distincte qu'Hoffmann comprit qu'il y avait un fond de réalité dans tout cela, et que la différence était du plus au moins. Voilà tout.

Il rouvrit donc un œil, puis l'autre; le petit homme noir était toujours à sa place.

—Bonjour, jeune homme, dit-il à Hoffmann; vous dormez, je crois; prenez une prise, cela vous réveillera.

Et, ouvrant sa tabatière, il offrit du tabac au jeune homme.

Celui-ci, machinalement, étendit la main, prit une prise et l'aspira.

À l'instant même, il lui sembla que les parois de son esprit s'éclairaient.

—Ah! s'écria Hoffmann! c'est vous, cher docteur? que je suis aise de vous revoir!

—Si vous êtes aise de me revoir, demanda le docteur, pourquoi ne m'avez-vous pas cherché?

—Est-ce que je savais votre adresse?

—Oh! la belle affaire! au premier cimetière venu on vous l'eût donnée.

—Est-ce que je savais votre nom?

—Le docteur à la tête de mort, tout le monde me connaît sous ce nom-là. Puis il y avait un endroit où vous étiez toujours sûr de me trouver.

—Où cela? À l'Opéra, dit Hoffmann en secouant la tête et en poussant un soupir.

—Oui, vous n'y retournez plus?

—Je n'y retourne plus, non.

—Depuis que ce n'est plus Arsène qui remplit le rôle de Flore?

—Vous l'avez dit, et tant que ce ne sera pas elle, je n'y retournerai pas.

—Vous l'aimez, jeune homme, vous l'aimez.

—Je ne sais pas si la maladie que j'éprouve s'appelle de l'amour, mais je sais que si je ne la revois pas, ou je mourrai de son absence, ou je deviendrai fou.

—Peste! il ne faut pas devenir fou! peste! il ne faut pas mourir! À la folie il y a peu de remède, à la mort il n'y en a pas du tout.

—Que faut-il faire alors?

—Dame! il faut la revoir.

—Comment cela, la revoir?

—Sans doute!

—Avez-vous un moyen?

—Peut-être.

—Lequel?

—Attendez.

Et le docteur se mit à rêver en clignotant des yeux et en tambourinant sur sa tabatière.

Puis, après un instant, rouvrant les yeux et laissant ses doigts suspendus sur l'ébène:

—Vous êtes peintre, m'avez-vous dit?

—Oui, peintre, musicien, poëte.

—Nous n'avons besoin que de la peinture pour le moment.

—Eh bien!

—Eh bien! Arsène m'a chargé de lui chercher un peintre.

—Pour quoi faire?

—Pourquoi cherche-t-on un peintre, pardieu! pour lui faire son portrait.

—Le portrait d'Arsène! s'écria Hoffmann en se levant, oh! me voilà! me voilà!

—Chut! pensez donc que je suis un homme grave.

—Vous êtes mon sauveur! s'écria Hoffmann en jetant ses bras autour du cou du petit homme noir.

—Jeunesse, jeunesse! murmura celui-ci en accompagnant ces deux mots du même rire dont eût ricané sa tête de mort si elle eût été de grandeur naturelle.

—Allons! allons! répétait Hoffmann.

—Mais il vous faut une boîte à couleurs, des pinceaux, une toile.

—J'ai tout cela chez moi, allons!

—Allons! dit le docteur. Et tous deux sortirent de l'estaminet.

CHAPITRE XIII

Le portrait.

En sortant de l'estaminet, Hoffmann fit un mouvement pour appeler un fiacre; mais le docteur frappa ses mains sèches l'une contre l'autre, et à ce bruit, pareil à celui qu'eussent fait deux mains de squelette, une voiture tendue de noir, attelée de deux chevaux noirs, et conduite par un cocher tout vêtu de noir, accourut. Où stationnait-elle? d'où était-elle sortie? C'eût été aussi difficile à Hoffmann de le dire qu'il eût été difficile à Cendrillon de dire d'où venait le char dans lequel elle se rendait au bal du prince Mirliflore.

Un petit groom, non seulement noir d'habits, mais de peau, ouvrit la portière. Hoffmann et le docteur y montèrent, s'assirent l'un à côté de l'autre, et tout aussitôt la voiture se mit à rouler sans bruit vers l'hôtellerie d'Hoffmann.

Arrivé à la porte, Hoffmann hésita pour savoir s'il monterait chez lui; il lui semblait qu'aussitôt qu'il allait avoir le dos tourné, la voiture, les chevaux, le docteur et ses deux domestiques allaient disparaître comme ils étaient apparus. Mais à quoi bon, docteur, chevaux, voiture et domestiques se fussent-ils dérangés pour conduire Hoffmann de l'estaminet de la rue de la Monnaie au quai aux Fleurs? Ce dérangement n'avait pas de but.

Hoffmann, rassuré par le simple sentiment de la logique, descendit donc de la voiture, entra dans l'hôtellerie, monta vivement l'escalier, se précipita dans sa chambre, y prit palette, pinceaux, boîte à couleurs, choisit la plus grande de ses toiles, et redescendit du même pas qu'il était monté.

La voiture était toujours à la porte.

Pinceaux, palette et boîte à couleurs furent mis dans l'intérieur du carrosse: le groom fut chargé de porter la toile.

Puis la voiture se mit à rouler avec la même rapidité et le même silence.

Au bout de dix minutes, elle s'arrêta en face d'un charmant petit hôtel situé rue de Hanovre, 15.

Hoffmann remarqua la rue et le numéro, afin, le cas échéant, de pouvoir revenir sans l'aide du docteur.

La porte s'ouvrit: le docteur était connu sans doute, car le concierge ne lui demanda pas même où il allait; Hoffmann suivit le docteur avec ses pinceaux, sa boîte à couleurs, sa palette, sa toile, et passa par-dessus le marché.

On monta au premier, et l'on entra dans une antichambre qu'on eût pu croire le vestibule de la maison du poète à Pompéia.

On s'en souvient, à cette époque la mode était grecque; l'antichambre d'Arsène était peinte à fresque, ornée de candélabres et de statues de bronze.

De l'antichambre, le docteur et Hoffmann passèrent dans le salon.

Le salon était grec comme l'antichambre, tendu avec du drap de Sedan à soixante-dix francs l'aune; le tapis seul coûtait six mille livres; le docteur fit remarquer ce tapis à Hoffmann; il représentait la bataille d'Arbelles copiée sur la fameuse mosaïque de Pompéia.

Hoffmann, ébloui de ce luxe inouï, ne comprenait pas que l'on fît de pareils tapis pour marcher dessus.

Du salon, on passa dans le boudoir; le boudoir était tendu de cachemire. Au fond, dans un encadrement, était un lit bas faisant canapé, pareil à celui sur lequel M. Guérin coucha depuis Didon écoutant les aventures d'Énéas. C'était là qu'Arsène avait donné l'ordre de faire attendre.

—Maintenant, jeune homme, dit le docteur, vous voilà introduit, c'est à vous de vous conduire d'une façon convenable. Il va sans dire que si l'amant en titre vous surprenait ici, vous seriez un homme perdu.

—Oh! s'écria Hoffmann, que je la revoie, que je la revoie seulement, et....

La parole s'éteignit sur les lèvres d'Hoffmann; il resta les yeux fixés, les bras étendus, la poitrine haletante.

Une porte cachée dans la boiserie venait de s'ouvrir, et, derrière une glace tournante, apparaissait Arsène, véritable divinité du temple dans lequel elle daignait se faire visible à son adorateur.

C'était le costume d'Aspasie dans tout son luxe antique, avec ses perles dans les cheveux, son manteau de pourpre brodé d'or, sa longue robe blanche maintenue à la taille par une simple ceinture de perles, des bagues aux pieds et aux mains, et, au milieu de tout cela, cet étrange ornement qui semblait inséparable de sa personne, ce collier de velours, large de quatre lignes à peine, et retenu par la lugubre agrafe de diamants.

—Ah! c'est vous, citoyen, qui vous chargez de me faire mon portrait? dit Arsène.

—Oui, balbutia Hoffmann; oui, madame, et le docteur a bien voulu se charger de répondre de moi.

Hoffmann chercha autour de lui comme pour demander un appui au docteur, mais le docteur avait disparu.

—Eh bien! s'écria Hoffmann tout troublé; eh bien!

—Que cherchez-vous, que demandez-vous, citoyen?

—Mais, madame, je cherche, je demande... je demande le docteur, la personne enfin qui m'a introduit ici.

—Qu'avez-vous besoin de votre interlocuteur, dit Arsène, puisque vous voilà introduit?

—Mais, cependant, le docteur, le docteur? fit Hoffmann.

—Allons! dit avec impatience Arsène, n'allez-vous pas perdre le temps à le chercher? Le docteur est à ses affaires, occupons-nous des nôtres.

—Madame, je suis à vos ordres, dit Hoffmann tout tremblant.

—Voyons, vous consentez donc à faire mon portrait?

—C'est-à-dire que je suis l'homme le plus heureux du monde d'avoir été choisi pour une telle faveur; seulement je n'ai qu'une crainte.

—Bon! vous allez faire de la modestie. Eh bien! si vous ne réussissez pas, j'essayerai un autre. Il veut avoir un portrait de moi. J'ai vu que vous me regardiez en homme qui devait garder ma ressemblance dans votre mémoire, et je vous ai donné la préférence.

—Merci, merci cent fois! s'écria Hoffmann dévorant Arsène des yeux. Oh! oui, oui, j'ai gardé votre ressemblance dans ma mémoire: là, là, là.

Et il appuya sa main sur son cœur.

Tout à coup il chancela et pâlit.

—Qu'avez-vous? demanda Arsène d'un petit air tout dégagé.

—Rien, répondit Hoffmann, rien; commençons.

En mettant sa main sur son cœur, il avait senti entre sa poitrine et sa chemise le médaillon d'Antonia.

—Commençons, poursuivit Arsène. C'est bien aisé à dire. D'abord, ce n'est point sous ce costume qu'il veut que je me fasse peindre.

Ce mot *il*, qui était déjà revenu deux fois, passait à travers le cœur d'Hoffmann comme eût fait une de ces aiguilles d'or qui soutenaient la coiffure de la moderne Aspasie.

—Et comment donc alors veut-il que vous vous fassiez peindre? demanda Hoffmann avec une amertume sensible.

—En Érigone.

—À merveille! La coiffure de pampre vous ira à merveille.

—Vous croyez? fit Arsène en minaudant. Mais je crois que la peau de panthère ne m'enlaidira pas non plus.

Et elle frappa sur un timbre.

Une femme de chambre entra.

—Eucharis, dit Arsène, apportez le thyrse, les pampres et la peau de tigre.

Puis, tirant les deux ou trois épingles qui soutenaient sa coiffure, et, secouant la tête, Arsène s'enveloppa d'un flot de cheveux noirs qui tomba en cascade sur son épaule, rebondit sur ses hanches, et s'épandit, épais et onduleux, jusque sur le tapis.

Hoffmann jeta un cri d'admiration.

—Hein! qu'y a-t-il? demanda Arsène.

—Il y a, s'écria Hoffmann, il y a que je n'ai jamais vu pareils cheveux.

—Aussi veut-*il* que j'en tire parti, c'est pour cela que nous avons choisi le costume d'Érigone, qui me permet de poser les cheveux épars.

Cette fois le *il* et le *nous* avaient frappé le cœur d'Hoffmann de deux coups au lieu d'un.

Pendant ce temps, Melle Eucharis avait apporté les raisins, le thyrse et la peau de tigre.

—Est-ce tout ce dont nous avons besoin? demanda Arsène.

—Oui, oui, je crois, balbutia Hoffmann.

—C'est bien, laissez-nous seuls, et ne rentrez que si je vous sonne.

Mlle Eucharis sortit et referma la porte derrière elle.

—Maintenant, citoyen, dit Arsène, aidez-moi un peu à poser cette coiffure; cela vous regarde. Je me fie beaucoup, pour m'embellir, à la fantaisie du peintre.

—Et vous avez raison! s'écria Hoffmann. Mon Dieu! mon Dieu! que vous allez être belle!

Et, saisissant la branche de pampre, il la tordit autour de la tête d'Arsène avec cet art du peintre qui donne à chaque chose une valeur et un reflet; puis il prit, tout frissonnant d'abord, et du bout des doigts, ces longs cheveux parfumés, en fit jouer le mobile ébène, parmi les grains de topaze, parmi les feuilles d'émeraudes et de rubis de la vigne d'automne; et, comme il l'avait promis, sous sa main, main de poète, de peintre et d'amant, la danseuse s'embellit de telle façon, qu'en se regardant dans la glace elle jeta un cri de joie et d'orgueil.

—Oh! vous avez raison, dit Arsène, oui, je suis belle, bien belle. Maintenant, continuons.

—Quoi? que continuons-nous? demanda Hoffmann.

—Eh bien! mais ma toilette de bacchante?

Hoffmann commençait à comprendre.

—Mon Dieu! murmura-t-il, mon Dieu!

Arsène détacha en souriant son manteau de pourpre, qui demeura retenu par une seule épingle, à laquelle elle essaya vainement d'atteindre.

—Mais aidez-moi donc! dit-elle avec impatience, ou faut-il que je rappelle Eucharis?

—Non, non! s'écria Hoffmann.

Et s'élançant vers Arsène, il enleva l'épingle rebelle: le manteau tomba aux pieds de la belle Grecque.

—Là! dit le jeune homme en respirant.

—Oh! dit Arsène, croyez-vous donc que cette peau de tigre fasse bien sur cette longue robe de mousseline? moi je ne crois pas; d'ailleurs il veut une vraie bacchante, non pas comme on les voit au théâtre, mais comme elles sont dans les tableaux des Carrache et de l'Albane.

—Mais, dans les tableaux des Carrache et de l'Albane, s'écria Hoffmann, les bacchantes sont nues!

—Eh bien, *il* me veut ainsi, à part la peau de tigre que vous draperez comme vous voudrez, cela vous regarde.

La demande avait été faite d'un ton si calme et si froid, qu'Hoffmann se renversa en arrière, en appuyant les deux mains sur son front.

—Rien, rien, balbutia-t-il; pardonnez-moi, je deviens fou.

—Oui, en effet, dit-elle.

—Voyons, s'écria Hoffmann, pourquoi m'avez-vous fait venir? dites, dites!

—Mais pour que vous fassiez mon portrait, pas pour autre chose.

—Oh! c'est bien, dit Hoffmann, oui, vous avez raison; pour faire votre portrait, pas pour autre chose.

Et, imprimant une profonde secousse à sa volonté, Hoffmann posa sa toile sur le chevalet, prit sa palette, ses pinceaux, et commença d'esquisser l'enivrant tableau qu'il avait sous les yeux.

Mais l'artiste avait trop présumé de ses forces: lorsqu'il vit le voluptueux modèle posant, non seulement dans son ardente réalité, mais encore reproduit par les mille glaces du boudoir; quand, au lieu d'une Érigone, il se trouva au milieu de dix bacchantes; lorsqu'il vit chaque miroir répéter ce sourire enivrant, reproduire les ondulations de cette poitrine que l'ongle d'or de la panthère ne couvrait qu'à moitié, il sentit qu'on demandait de lui au-delà des forces humaines, et, jetant palette et pinceaux, il s'élança vers la belle bacchante, et appuya sur son épaule un baiser où il y avait autant de rage que d'amour.

Mais, au même instant, la porte s'ouvrit, et la nymphe Eucharis se précipita dans le boudoir en criant:

—Lui! lui! lui!

Et, en disant ces mots, elle avait dénoué le ruban de sa taille et ouvert l'agrafe de son col, de sorte que la robe glissait le long de son beau corps, qu'elle laissait nu, au fur et à mesure qu'elle descendait des épaules aux pieds.

—Oh! dit Hoffmann, tombant à genoux, ce n'est pas une mortelle, c'est une déesse.

Arsène poussa du pied le manteau de la robe.

Puis, prenant la peau de tigre:

—Voyons, dit-elle, que faisons-nous de cela? Mais aidez-moi donc, citoyen peintre, je n'ai pas l'habitude de m'habiller seule.

La naïve danseuse appelait cela s'habiller.

Hoffmann approcha chancelant, ivre, ébloui, prit la peau de tigre, agrafa ses ongles d'or sur l'épaule de la bacchante, la fit asseoir ou plutôt coucher sur le lit de cachemire rouge, où elle eût semblé une statue de marbre de Paros si sa respiration n'eût soulevé son sein, si le sourire n'eût entrouvert ses lèvres.

—Suis-je bien ainsi? demanda-t-elle en arrondissant son bras au-dessous de sa tête et en prenant une grappe de raisins qu'elle parut presser sur ses lèvres.

—Oh! oui, belle, belle, belle! murmura Hoffmann.

Et l'amant l'emportant sur le peintre il tomba à genoux, et, d'un mouvement rapide comme la pensée, il prit la main d'Arsène et la couvrit de baisers.

Arsène retira sa main avec plus d'étonnement que de colère.

—Eh bien! que faites-vous donc? demanda-t-elle au jeune homme.

Au même instant, avant qu'il eût eu le temps de se reconnaître, Hoffmann, poussé par les deux femmes, se trouva lancé hors du boudoir, dont la porte se referma derrière lui, et cette fois, véritablement fou d'amour, de rage et de jalousie, il traversa le salon tout chancelant, glissa le long de la rampe plutôt qu'il ne descendit l'escalier, et, sans savoir comment il était arrivé là, il se trouva dans la rue, ayant laissé dans le boudoir d'Arsène ses pinceaux, sa boîte à couleurs et sa palette, ce qui n'était rien, mais aussi son chapeau, ce qui pouvait être beaucoup.

CHAPITRE XIV.

Le tentateur.

Ce qui rendait la situation d'Hoffmann plus terrible encore, en ce qu'elle ajoutait l'humiliation à la douleur, c'est qu'il n'avait pas, la chose était évidente pour lui, été appelé chez Arsène comme un homme qu'elle avait remarqué à l'orchestre de l'Opéra, mais purement et simplement comme un peintre, comme une machine à portrait, comme un miroir qui réfléchit les corps qu'on lui présente. De là cette insouciance d'Arsène à laisser tomber l'un après l'autre tous ses vêtements devant lui; de là cet étonnement quand il lui avait baisé la main; de là cette colère quand, au milieu de l'âcre baiser dont il lui avait rougi l'épaule, il lui avait dit qu'il l'aimait.

Et, en effet, n'était-ce pas folie à lui, simple étudiant allemand, venu à Paris avec trois ou quatre cents thalers, c'est-à-dire avec une somme insuffisante à payer le tapis de son antichambre, n'était-ce pas une folie à lui d'aspirer à la danseuse à la mode, à la fille entretenue par le prodigue et voluptueux Danton! Cette femme, ce n'était point le son des paroles qui la touchait, c'était le son de l'or; son amant, ce n'était pas celui qui l'aimait le plus, c'était celui qui la payait davantage. Qu'Hoffmann ait plus d'argent que Danton, et ce serait Danton que l'on mettrait à la porte lorsque Hoffmann arriverait.

En attendant, ce qu'il y avait de plus clair, c'est que celui qu'on avait mis à la porte, ce n'était pas Danton, mais Hoffmann.

Hoffmann reprit le chemin de la petite chambre, plus humble et plus attristé qu'il ne l'avait jamais été.

Tant qu'il ne s'était pas trouvé en face d'Arsène, il avait espéré; mais ce qu'il venait de voir, cette insouciance vis-à-vis de lui comme homme, ce luxe au milieu duquel il avait trouvé la belle danseuse, et qui était non seulement sa vie physique, mais sa vie morale, tout cela, à moins d'une somme folle inouïe, qui tombât entre les mains d'Hoffmann, c'est-à-dire à moins d'un miracle, rendait impossible au jeune homme, même l'espérance de la possession.

Aussi rentra-t-il accablé; le singulier sentiment qu'il éprouvait pour Arsène, sentiment tout physique, tout attractif, et dans lequel le cœur n'était pour rien, s'était traduit jusque-là par les désirs, par l'irritation, par la fièvre.

À cette heure, désirs, irritation et fièvre s'étaient changés en un profond accablement.

Un seul espoir restait à Hoffmann, c'était de retrouver le docteur noir et de lui demander avis sur ce qu'il devait faire, quoiqu'il y eût dans cet homme quelque chose d'étrange, de fantastique, de surhumain, qui lui fit croire qu'aussitôt qu'il le côtoyait il sortait de la vie réelle pour entrer dans une espèce de rêve où ne le suivait ni sa volonté ni son libre arbitre, et où il devenait le jouet d'un monde qui existait pour lui sans exister pour les autres.

Aussi, à l'heure accoutumée, retourna-t-il le lendemain à son estaminet de la rue de la Monnaie; mais il eut beau s'envelopper d'un nuage de fumée nul visage ressemblant à celui du docteur n'apparut au milieu de cette fumée; mais il eut beau fermer les yeux, nul, lorsqu'il les rouvrit, n'était assis sur le tabouret qu'il avait placé de l'autre côté de la table.

Huit jours s'écoulèrent ainsi.

Le huitième jour, Hoffmann, impatient, quitta l'estaminet de la rue de la Monnaie une heure plus tôt que de coutume, c'est-à-dire vers quatre heures de l'après-midi, et par Saint-Germain-l'Auxerrois et le Louvre gagna machinalement la rue Saint-Honoré.

À peine y fut-il, qu'il s'aperçut qu'un grand mouvement se faisait du côté du cimetière des Innocents, et allait s'approchant vers la place du Palais-Royal. Il se rappela ce qui lui était arrivé le lendemain du jour de son entrée à Paris, et reconnut le même bruit, la même rumeur qui l'avait déjà frappé lors de l'exécution de madame Du Barry. En effet, c'étaient les charrettes de la Conciergerie, qui, chargées de condamnés, se rendaient à la place de la Révolution.

On sait l'horreur qu'Hoffmann avait pour ce spectacle; aussi, comme les charrettes avançaient rapidement, s'élança-t-il dans un café placé au coin de la rue de la Loi, tournant le dos à la rue, fermant les yeux et se bouchant les oreilles, car les cris de madame Du Barry retentissaient encore au fond de son cœur; puis, quand il supposa que les charrettes étaient passées, il se retourna et vit, à son grand étonnement, descendant d'une chaise où il était monté pour mieux voir, son ami Zacharias Werner.

—Werner! s'écria Hoffmann en s'élançant vers le jeune homme, Werner!

—Tiens, c'est toi, fit le poète, où étais-tu donc?

—Là, là, mais les mains sur mes oreilles pour ne pas entendre les cris de ces malheureux, mais les yeux fermés pour ne pas les voir.

—En vérité, cher ami, tu as tort, dit Werner, tu es peintre! Et ce que tu eusses vu t'eût fourni le sujet d'un merveilleux tableau. Il y avait dans la troisième charrette, vois-tu, il y avait une femme, une merveille, un cou, des épaules et des cheveux! coupés par-derrière, c'est vrai, mais de chaque côté tombant jusqu'à terre.

—Écoute, dit Hoffmann, j'ai vu sous ce rapport tout ce que l'on peut voir de mieux; j'ai vu madame Du Barry, et je n'ai pas besoin d'en voir d'autres. Si jamais je veux faire un tableau, crois-moi, cet original-là me suffira; d'ailleurs, je ne veux plus faire de tableaux.

—Et pourquoi cela? demanda Werner.

—J'ai pris la peinture en horreur.

—Encore quelque désappointement.

—Mon cher Werner, si je reste à Paris, je deviendrai fou.

—Tu deviendras fou partout où tu seras, mon cher Hoffmann; ainsi autant vaut à Paris qu'ailleurs; en attendant, dis-moi quelle chose te rend fou.

—Oh! mon cher Werner, je suis amoureux.

—D'Antonia, je sais cela, tu me l'as dit.

—Non; Antonia, fit Hoffmann en tressaillant, Antonia, c'est autre chose, je l'aime!

—Diable! la distinction est subtile; conte-moi cela. Citoyen officieux, de la bière et des verres!

Les deux jeunes gens bourrèrent leurs pipes, et s'assirent aux deux côtés de la table la plus enfoncée dans l'angle du café.

Là, Hoffmann raconta à Werner tout ce qui lui était arrivé depuis le jour où il avait été à l'Opéra et où il avait vu danser Arsène, jusqu'au moment où il avait été poussé par les deux femmes hors du boudoir.

—Eh bien! fit Werner quand Hoffmann eut fini.

—Eh bien! répéta celui-ci, tout étonné que son ami ne fût pas aussi abattu que lui.

—Je demande, reprit Werner, ce qu'il y a de désespérant dans tout cela.

—Il y a, mon cher, que maintenant que je sais qu'on ne peut avoir cette femme qu'à prix d'argent, il y a que j'ai perdu tout espoir.

—Et pourquoi as-tu perdu tout espoir?

—Parce que je n'aurai jamais cinq cents louis à jeter à ses pieds.

—Et pourquoi ne les aurais-tu pas? je les ai bien eus, moi, cinq cents louis, mille louis, deux mille louis.

—Et où veux-tu que je les prenne? bon Dieu! s'écria Hoffmann.

—Mais dans l'Eldorado dont je t'ai parlé, à la source du Pactole, mon cher, au jeu.

—Au jeu! fit Hoffmann en tressaillant. Mais tu sais bien que j'ai juré à Antonia de ne plus jouer.

—Bah! dit Werner en riant, tu avais bien juré de lui être fidèle!

Hoffmann poussa un long soupir, et pressa le médaillon contre son cœur.

—Au jeu, mon ami! continua Werner. Ah! voilà une banque! Ce n'est pas comme celle de Mannheim ou de Hambourg, qui menace de sauter pour quelques pauvres mille livres. Un million! mon ami, un million! des meules d'or! C'est là que s'est réfugié, je crois, tout le numéraire de la France: pas de ces mauvais papiers, pas de ces pauvres assignats démonétisés, qui perdent les trois quarts de leur valeur... de beaux louis, de beaux doubles louis, de beaux quadruples! Tiens, en veux-tu voir?

Et Werner tira de sa poche une poignée de louis qu'il montra à Hoffmann, et dont les rayons rejaillirent à travers le miroir de ses yeux jusqu'au fond de son cerveau.

—Oh, non! non! jamais! s'écria Hoffmann, se rappelant à la fois la prédiction du vieil officier et la prière d'Antonia, jamais je ne jouerai!

—Tu as tort; avec le bonheur que tu as au jeu, tu ferais sauter la banque.

—Et Antonia! Antonia!

—Bah! mon cher ami, qui le lui dira, à Antonia, que tu as joué, que tu as gagné un million? qui le lui dira qu'avec vingt cinq mille livres tu t'es passé la fantaisie de ta belle danseuse? Crois-moi, retourne à Mannheim avec neuf cent soixante quinze mille livres, et Antonia ne te demandera ni où tu as eu tes quarante-huit mille cinq cents livres de rentes, ni ce que tu as fait des vingt-cinq mille livres manquantes.

Et en disant ces mots Werner se leva.

—Où vas-tu? lui demanda Hoffmann.

—Je vais voir une maîtresse à moi, une dame de la Comédie-Française qui m'honore de ses bontés, et que je gratifie de la moitié de mes bénéfices. Dame! je suis poëte, moi, je m'adresse à un théâtre littéraire; tu es musicien, toi, tu fais ton choix dans un théâtre chantant et dansant. Bonne chance au jeu, cher ami, tous mes compliments à Mlle Arsène. N'oublie pas le numéro de la banque, c'est le 113. Adieu.

—Oh! murmura Hoffmann, tu me l'avais dit et je ne l'avais pas oublié.

Et il laissa s'éloigner son ami Werner, sans plus songer à lui demander son adresse qu'il ne l'avait fait la première fois qu'il l'avait rencontré.

Mais, malgré l'éloignement de Werner, Hoffmann ne resta point seul. Chaque parole de son ami s'était faite pour ainsi dire visible et palpable: elle était là brillante à ses yeux, murmurant à ses oreilles.

En effet, où Hoffmann pouvait-il aller puiser de l'or, si ce n'était à la source de l'or! La seule réussite possible à un désir impossible n'était-elle pas trouvée? Eh! mon Dieu! Werner l'avait dit. Hoffmann n'était-il pas déjà infidèle à une partie de son serment? qu'importait donc qu'il le devînt à l'autre?

Puis, Werner l'avait dit, ce n'étaient pas vingt-cinq mille livres, cinquante mille livres, cent mille livres, qu'il pouvait gagner. Les horizons matériels des champs, des bois, de la mer elle-même, ont une limite: l'horizon du tapis vert n'en a pas.

Le démon du jeu est comme Satan: il a le pouvoir d'emporter le joueur sur la plus haute montagne de la terre, et de lui montrer de là tous les royaumes du monde.

Puis, quel bonheur, quelle joie, quel orgueil, quand Hoffmann rentrerait chez Arsène, dans ce même boudoir dont on l'avait chassé! de quel suprême dédain il écraserait cette femme et son terrible amant, quand, pour toute réponse à ces mots: Que venez-vous faire ici? il laisserait, nouveau Jupiter, tomber une pluie d'or sur la nouvelle Danaé!

Et tout cela n'était plus une hallucination de son esprit, un rêve de son imagination, tout cela, c'était la réalité, c'était le possible. Les chances étaient égales pour le gain comme pour la perte; plus grandes pour le gain; car, on le sait, Hoffmann était heureux au jeu.

Oh! ce numéro 113, ce numéro 113, avec son chiffre ardent, comme il appelait Hoffmann, comme il le guidait, phare infernal, vers cet abîme au fond duquel hurle le Vertige en se roulant sur une couche d'or!

Hoffmann lutta pendant plus d'une heure contre la plus ardente de toutes les passions. Puis, au bout d'une heure, sentant qu'il lui était impossible de résister plus longtemps, il jeta une pièce de quinze sous sur la table, en faisant don à l'officieux de la différence, et tout courant, sans s'arrêter gagna le quai aux Fleurs, monta dans sa chambre, prit les trois cents thalers qui lui restaient, et, sans se donner le temps de réfléchir, sauta dans une voiture en criant:

—Au Palais-Égalité!

CHAPITRE XV.

Le numéro 113.

Le Palais-Royal, qu'on appelait à cette époque le Palais-Égalité, et qu'on a nommé aussi le Palais-National, car, chez nous, la première chose que font les révolutionnaires, c'est de changer les noms des rues et des places, quitte à leur rendre aux restaurations; le Palais-Royal, disons-nous, c'est sous ce nom qu'il nous est le plus familier, n'était pas à cette époque ce qu'il est aujourd'hui; mais comme pittoresque, comme étrangeté même, il n'y perdait rien, surtout le soir, surtout à l'heure où Hoffmann y arrivait.

Sa disposition différait peu de celle que nous voyons maintenant, à cette exception que ce qui s'appelle aujourd'hui la galerie d'Orléans était occupé par une double galerie de charpente, galerie qui devait faire place plus tard à un promenoir de six rangs de colonnes doriques; qu'au lieu de tilleuls, il y avait des marronniers dans le jardin, et que là où est le bassin, se trouvait un cirque, vaste édifice tapissé de treillages, bordé de carreaux, et dont le comble était couronné d'arbustes et de fleurs.

N'allez pas croire que ce cirque fût ce qu'est le spectacle auquel nous avons donné ce nom. Non, les acrobates et les faiseurs de tours qui s'escrimaient dans celui du Palais-Égalité, étaient d'un autre genre que cet acrobate anglais, M. Price, qui, quelques années auparavant, avait tant émerveillé la France, et qui a enfanté les Mazurier et les Auriol.

Le cirque était occupé dans ce temps-là par les *Amis de la Vérité*, qui y donnaient des représentations, et que l'on pouvait voir fonctionner pourvu qu'on fût abonné au journal *la Bouche de fer*. Avec son numéro du matin, on était admis le soir dans ce lieu de délices, et l'on entendait les discours de tous les fédérés, réunis, disaient-ils, dans le louable but de protéger les gouvernants et les gouvernés, d'*impartialiser* les lois, et d'aller chercher dans tous les coins du monde un ami de la vérité, de quelque pays, de quelque couleur, de quelque opinion qu'il fût, puis, la vérité découverte, on l'enseignait aux hommes.

Comme vous le voyez, il y a toujours eu en France des gens convaincus que c'était à eux qu'il appartenait d'éclairer les masses, et que le reste de l'humanité n'était qu'une peuplade absurde.

Qu'a fait le vent, qui a passé, du nom, des idées et des vanités de ces gens-là?

Cependant le Cirque faisait son bruit dans le Palais-Égalité, au milieu du bruit général, et mêlait sa partie criarde au grand concert qui s'éveillait chaque soir dans ce jardin.

Car, il faut le dire, en ces temps de misère, d'exil, de terreurs et de proscriptions, le Palais-Royal était devenu le centre où la vie, comprimée tout le jour dans les passions et dans les luttes, venait, la nuit, chercher le rêve et s'efforcer d'oublier cette vérité à la recherche de laquelle s'étaient mis les membres du Cercle Social et les actionnaires du Cirque. Tandis que tous les quartiers de Paris étaient sombres et déserts, tandis que les sinistres patrouilles, faites des geôliers du jour et des bourreaux du lendemain, rôdaient comme des bêtes fauves cherchant une proie quelconque, tandis qu'autour du foyer privé d'un ami ou d'un parent mort ou émigré, ceux qui étaient restés chuchotaient tristement leurs craintes ou leurs douleurs, le Palais-Royal rayonnait, lui, comme le dieu du mal; il allumait ses cent quatre-vingts arcades, il étalait ses bijoux aux vitraux des joailliers. Il jetait enfin au milieu des carmagnoles populaires et à travers la misère générale ses filles perdues, ruisselantes de diamants, couvertes de blanc et de rouge, vêtues juste ce qu'il fallait pour l'être, de velours ou de soie, et promenant sous les arbres et dans les galeries leur splendide impudeur. Il y avait dans ce luxe de la prostitution une dernière ironie contre le passé, une dernière insulte faite à la monarchie.

Exhiber ces créatures avec ces costumes royaux, c'était jeter la boue après le sang au visage de cette charmante cour de femmes si luxueuses, dont Marie-Antoinette avait été la reine et que l'ouragan révolutionnaire avait emportées de Trianon à la place de la guillotine, comme un homme ivre qui s'en irait traînant dans la boue la robe blanche de sa fiancée.

Le luxe était abandonné aux filles les plus viles; la vertu devait marcher couverte de haillons.

C'était là une des vérités trouvées par le Cercle Social.

Et cependant ce peuple, qui venait de donner au monde une impulsion si violente, ce peuple parisien, chez lequel, malheureusement, le raisonnement ne vient qu'après l'enthousiasme, ce qui fait qu'il n'a jamais assez de sang-froid que pour se souvenir des sottises qu'il a faites, le peuple, disons-nous, pauvre, dévêtu, ne se rendait pas parfaitement compte de la philosophie de cette antithèse, et ce n'était pas avec mépris, mais avec envie, qu'il coudoyait ces reines de bouges, ces hideuses majestés du vice. Puis quand, les sens animés par ce qu'il voyait, quand, l'œil en feu, il voulait porter la main sur ces corps qui appartenaient à tout le monde, on lui demandait de l'or, et, s'il n'en avait pas, on le repoussait ignominieusement. Ainsi se heurtait partout ce grand principe d'égalité proclamé par la hache, écrit avec le sang, et sur lequel avaient le droit de cracher en riant ces prostituées du Palais-Royal.

Dans des jours comme ceux-là, la surexcitation morale était arrivée à un tel degré, qu'il fallait à la réalité ces étranges oppositions. Ce n'était plus sur le volcan, c'était dans le volcan même que l'on dansait, et les poumons, habitués à un air de soufre et de lave, ne se fussent plus contentés des tièdes parfums d'autrefois.

Ainsi le Palais-Royal se dressait tous les soirs, éclairant tout avec sa couronne de feu. Entremetteur de pierre, il hurlait au-dessus de la grande cité morne:

—Voici la nuit, venez! J'ai tout en moi, la fortune et l'amour, le jeu et les femmes! Je vends de tout, même le suicide et l'assassinat. Vous qui n'avez pas mangé depuis hier, vous qui souffrez, vous qui pleurez, venez chez moi; vous verrez comme nous sommes riches, vous verrez comme nous rions. Avez-vous une conscience ou une fille à vendre? venez! vous aurez de l'or plein les yeux, des obscénités plein les oreilles; vous marcherez à pleins pieds dans le vice, dans la corruption et dans l'oubli. Venez ici ce soir, vous serez peut-être morts demain.

C'était là, la grande raison. Il fallait vivre comme on mourait, vite!

Et l'on venait.

Au milieu de tout cela, le lieu le plus fréquenté était naturellement celui où se tenait le jeu. C'était là qu'on trouvait de quoi avoir le reste.

De tous ces ardents soupiraux, c'était donc le n° 113 qui jetait le plus de lumière avec sa lanterne rouge, œil immense de ce cyclope ivre qu'on appelait le Palais-Égalité.

Si l'enfer a un numéro, ce doit être le n° 113.

Oh! tout y était prévu.

Au rez-de-chaussée, il y avait un restaurant; au premier étage, il y avait le jeu: la poitrine du bâtiment renfermait le cœur, c'était tout naturel; au second, il y avait de quoi dépenser la force que le corps avait prise au rez-de-chaussée, l'argent que la poche avait gagné au-dessus.

Tout était prévu, nous le répétons, pour que l'argent ne sortît pas de la maison.

Et c'était vers cette maison que courait Hoffmann, le poétique amant d'Antonia.

Le 113 était où il est aujourd'hui, à quelques boutiques de la maison Corcelet.

À peine Hoffmann eut-il sauté à bas de sa voiture et mis le pied dans la galerie du palais, qu'il fut accosté par les divinités du lieu, grâce à son costume d'étranger, qui, en ce temps comme de nos jours, inspirait plus de confiance que le costume national.

Un pays n'est jamais tant méprisé que par lui-même.

—Où est le n° 113? demanda Hoffmann à la fille qui lui avait pris le bras.

—Ah! c'est là que tu vas, fit l'Aspasie avec dédain. Eh bien! mon petit, c'est là où est cette lanterne rouge. Mais tâche de garder deux louis, et souviens-toi du 115.

Hoffmann se plongea dans l'allée indiquée comme Curtius dans le gouffre, et, une minute après, il était dans le salon de jeu.

Il s'y faisait le même bruit que dans une vente publique.

Il est vrai qu'on y vendait beaucoup de choses.

Les salons rayonnaient de dorures, de lustres, de fleurs et de femmes plus belles, plus somptueuses, plus décolletées que celles d'en bas.

Le bruit qui dominait tous les autres était le bruit de l'or. C'était là le battement de ce cœur immonde.

Hoffmann laissa à sa droite la salle où l'on taillait le trente et quarante, et passa dans le salon de la roulette.

Autour d'une grande table verte étaient rangés les joueurs, tous gens réunis pour le même but et dont pas un n'avait la même physionomie.

Il y en avait de jeunes, il y en avait de vieux, il y en avait dont les coudes s'étaient usés sur cette table. Parmi ces hommes, il y en avait qui avaient perdu leur père la veille, ou le matin, ou le soir même, et dont toutes les pensées étaient tendues vers la bille qui tournait. Chez le joueur, un seul sentiment continue à vivre, c'est le désir, et ce sentiment se nourrit et s'augmente au détriment de tous les autres. M. de Bassompierre, à qui l'on venait dire, au moment où il commençait à danser avec Marie de Médicis: «Votre mère est morte», et qui répondait: «Ma mère ne sera morte que quand j'aurai dansé», M. de Bassompierre était un fils pieux à côté d'un joueur. Un joueur en état de jeu, à qui l'on viendrait dire pareille chose, ne répondrait même pas le mot du marquis: d'abord parce que ce serait du temps perdu, et ensuite parce qu'un joueur, s'il n'a jamais de cœur, n'a jamais non plus d'esprit quand il joue.

Quand il ne joue pas, c'est la même chose, il pense à jouer.

Le joueur a toutes les vertus de son vice. Il est sobre, il est patient, il est infatigable. Un joueur qui pourrait tout à coup détourner au profit d'une passion honnête, d'un grand sentiment, l'énergie incroyable qu'il met au service du jeu, deviendrait instantanément un des plus grands hommes du monde. Jamais César, Annibal ou Napoléon n'ont eu, au milieu même de l'exécution de leurs plus grandes choses, une force égale à la force du joueur le plus obscur. L'ambition, l'amour, les sens, le cœur, l'esprit, l'ouïe, l'odorat, le toucher, tous les ressorts vitaux de l'homme enfin, se réunissent sur un seul mot et sur un seul but: jouer. Et n'allez pas croire que le joueur joue pour gagner; il commence par là d'abord, mais il finit par jouer pour jouer, pour voir des cartes, pour manipuler de l'or, pour éprouver ces émotions étranges qui n'ont leur comparaison dans aucune des autres passions de la vie, qui font que, devant le gain ou la perte, ces deux pôles de l'un à l'autre desquels le joueur va avec la rapidité du vent, dont l'un brûle comme le feu, dont l'autre gèle comme la glace, qui font, disons-nous, que son cœur bondit dans sa poitrine sous le désir ou la réalité, comme un cheval sous l'éperon, absorbe comme une éponge toutes les facultés de l'âme, les comprime, les retient, et, le coup joué, les rejette brusquement autour de lui pour les ressaisir avec plus de force.

Ce qui fait la passion du jeu plus forte que toutes les autres, c'est que ne pouvant jamais être assouvie, elle ne peut jamais être lassée. C'est une maîtresse qui se promet toujours et qui ne se donne jamais. Elle tue, mais ne fatigue pas.

La passion du jeu c'est l'hystérie de l'homme.

Pour le joueur tout est mort: famille, amis, patrie. Son horizon, c'est la carte et la bille. Sa patrie, c'est la chaise où il s'assied, c'est le tapis vert où il s'appuie. Qu'on le condamne au gril comme saint Laurent, et qu'on l'y laisse jouer, je parie qu'il ne sent pas le feu! et qu'il ne se retourne même pas.

Le joueur est silencieux. La parole ne peut lui servir à rien. Il joue, il gagne, il perd; ce n'est plus un homme: c'est une machine. Pourquoi parlerait-il?

Le bruit qui se faisait dans les salons ne provenait donc pas des joueurs, mais des croupiers qui ramassaient l'or et qui criaient d'une voix nasillarde:

—Faites vos jeux.

En ce moment, Hoffmann n'était plus un observateur, la passion le dominait trop, sans quoi il eût eu là une série d'études curieuses à faire.

Il se glissa rapidement au milieu des joueurs et arriva à la lisière du tapis. Il se trouva là entre un homme debout, vêtu d'une carmagnole, et un vieillard assis et faisant des calculs avec un crayon sur du papier.

Ce vieillard qui avait usé sa vie à chercher une martingale, usait ses derniers jours à la mettre en œuvre, et ses dernières pièces à la voir échouer.

La martingale est introuvable comme l'âme.

Entre les têtes de tous ces hommes, assis et debout, apparaissaient des têtes de femmes qui s'appuyaient sur leurs épaules, qui pataugeaient dans leur or, et qui, avec une habileté sans pareille et ne jouant pas, trouvaient moyen de gagner sur le gain des uns et sur la perte des autres.

À voir ces gobelets pleins d'or et ces pyramides d'argent, on eût eu bien de la peine à croire que la misère publique était si grande, et que l'or coûtait si cher.

L'homme en carmagnole jeta un paquet de papiers sur un numéro.

—Cinquante livres, dit-il pour annoncer son jeu.

—Qu'est-ce que c'est que cela? demanda le croupier en amenant ces papiers avec son râteau et en les prenant avec le bout des doigts.

—Ce sont des assignats, répondit l'homme.

—Vous n'avez pas d'autre argent que celui-là? fit le croupier.

—Non, citoyen.

—Alors vous pouvez faire place à un autre.

—Pourquoi?

—Parce que nous ne prenons pas ça.

—C'est la monnaie du gouvernement.

—Tant mieux pour le gouvernement s'il s'en sert! Nous, nous n'en voulons pas.

—Ah! bien! dit l'homme en reprenant ses assignats, en voilà un drôle d'argent, on ne peut même pas le perdre.

Et il s'éloigna en tortillant ses assignats dans ses mains.

—Faites vos jeux! cria le croupier.

Hoffmann était joueur, nous le savons; mais cette fois ce n'était pas pour le jeu, c'était pour l'argent qu'il venait.

La fièvre qui le brûlait faisait bouillir son âme dans son corps comme de l'eau dans un vase.

—Cent thalers au 26! cria-t-il.

Le croupier examina la monnaie allemande comme il avait examiné les assignats.

—Allez changer, dit-il à Hoffmann; nous ne prenons que l'argent français.

Hoffmann descendit comme un fou, entra chez un changeur qui se trouvait justement être un Allemand, et changea ses trois cents thalers contre de l'or, c'est-à-dire contre quarante louis environ.

La roulette avait tourné trois fois pendant ce temps.

—Quinze louis au 26! cria-t-il en se précipitant vers la table, et en s'en tenant, avec cette incroyable superstition des joueurs, au numéro qu'il avait d'abord choisi par hasard, et parce que c'était celui sur lequel l'homme aux assignats avait voulu jouer.

—Rien ne va plus! cria le croupier.

La boule tourna.

Le voisin d'Hoffmann ramassa deux poignées d'or et les jeta dans son chapeau qu'il tenait entre ses jambes, mais le croupier ratissa les quinze louis d'Hoffmann et bien d'autres.

C'était le numéro 16 qui avait passé.

Hoffmann sentit une sueur froide lui couvrir le front comme un filet aux mailles d'acier.

—Quinze louis au 26! répéta-t-il.

D'autres voix dirent d'autres numéros, et la bille tourna encore une fois.

Cette fois, tout était à la banque. La bille avait roulé dans le zéro.

—Dix louis au 26! murmura Hoffmann d'une voix étranglée; puis, se reprenant, il dit: Non, neuf seulement; et il ressaisit une pièce d'or pour se laisser un dernier coup à jouer, une dernière espérance à avoir.

Ce fut le 30 qui sortit.

L'or se retira du tapis, comme la marée sauvage pendant le reflux.

Hoffmann, dont le cœur haletait, et qui, à travers les battements de son cerveau, entrevoyait la tête railleuse d'Arsène et le visage triste d'Antonia; Hoffmann, disons-nous, posa d'une main crispée son dernier louis sur le 26.

Le jeu fut fait en une minute:

—Rien ne va plus! cria le croupier.

Hoffmann suivit d'un œil ardent la bille qui tournait, comme si c'eût été sa propre vie qui eût tourné devant lui.

Tout à coup il se rejeta en arrière, cachant sa tête dans ses deux mains.

Non seulement il avait perdu, mais il n'avait plus un denier, ni sur lui, ni chez lui.

Une femme qui était là, et qu'on eût pu avoir pour vingt francs une minute auparavant, poussa un cri de joie sauvage et ramassa une poignée d'or qu'elle venait de gagner.

Hoffmann eût donné dix ans de sa vie pour un des louis de cette femme.

Par un mouvement plus rapide que la réflexion, il tâta et fouilla ses poches, comme pour n'avoir aucun doute sur la réalité.

Les poches étaient bien vides, mais il sentit quelque chose de rond comme un écu sur sa poitrine, et le saisit brusquement.

C'était le médaillon d'Antonia qu'il avait oublié.

—Je suis sauvé! cria-t-il; et il jeta le médaillon d'or comme enjeu sur le numéro 26.

CHAPITRE XVI.

Le médaillon.

Le croupier prit le médaillon d'or et l'examina:

—Monsieur, dit-il à Hoffmann, car au n° 113 on s'appelait encore monsieur; monsieur, allez vendre cela si vous voulez, et jouez-en l'argent; mais, je vous le répète, nous ne prenons que l'or ou l'argent monnayé.

Hoffmann saisit son médaillon, et, sans dire une syllabe, il quitta la salle de jeu.

Pendant le temps qu'il lui fallut pour descendre l'escalier, bien des pensées, bien des conseils, bien des pressentiments bourdonnaient autour de lui; mais il se fit sourd à toutes ces rumeurs vagues, et entra brusquement chez le changeur qui venait, un instant auparavant, de lui donner des louis pour ses thalers.

Le brave homme lisait, appuyé nonchalamment sur son large fauteuil de cuir, ses lunettes posées sur le bout de son nez éclairé par une lampe basse aux rayons ternes, auxquels venait se joindre le fauve reflet des pièces d'or couchées dans leurs cuvettes de cuivre, et encadrées par un fin treillage de fil de fer, garni de petits rideaux de soie verte, et orné d'une petite porte à hauteur de la table, laquelle porte ne laissait passer que la main.

Jamais Hoffmann n'avait tant admiré l'or.

Il ouvrait des yeux émerveillés, comme s'il fût entré dans un rayon de soleil, et cependant il venait de voir au jeu plus d'or qu'il n'en voyait là; mais ce n'était pas le même or, philosophiquement parlant. Il y avait entre l'or bruyant, rapide, agité du 113, et l'or tranquille, grave, muet du changeur, la différence qu'il y a entre les bavards creux et sans esprit, et les penseurs pleins de méditation. On ne peut rien faire de bon avec l'or de la roulette ou des cartes, il n'appartient pas à celui qui le possède; mais celui qui le possède lui appartient. Venu d'une source corrompue, il doit aller à un but impur. Il a la vie en lui, mais la mauvaise vie, et il a hâte de s'en aller comme il est venu. Il ne conseille que le vice et ne fait le bien, quand il le fait, que malgré lui; il inspire des désirs quatre fois, vingt fois plus grands que ce qu'il vaut, et, une fois possédé, il semble qu'il diminue de valeur; bref, l'argent du jeu, selon qu'on le gagne ou qu'on l'envie, selon qu'on le perd ou qu'on le ramasse, a une valeur toujours fictive. Tantôt une poignée d'or ne représente rien, tantôt une seule pièce renferme la vie d'un homme; tandis que l'or commercial, l'or du changeur, l'or comme celui que venait chercher Hoffmann chez son compatriote, vaut réellement le prix qu'il porte sur sa face, il ne sort de son nid de cuivre que contre une valeur égale et même supérieure à la sienne; il ne se prostitue pas en passant, comme une courtisane sans pudeur, sans préférence, sans amour, de la main de l'un à la main de l'autre; il a l'estime de lui-même; une fois sorti de chez le changeur, il peut se corrompre, il peut fréquenter la mauvaise société, ce qu'il faisait peut-être avant d'y venir, mais tant qu'il y est, il est respectable et doit être considéré. Il est l'image du besoin et non du caprice. On l'acquiert, on ne le gagne pas; il n'est pas jeté brusquement comme de simples jetons par la main du croupier. Il est méthodiquement compté pièce à pièce, lentement par le changeur, et avec tout le respect qui lui est dû. Il est silencieux, et c'est là sa grande éloquence; aussi Hoffmann, dans l'imagination duquel une comparaison de ce genre ne mettait qu'une minute à passer, se mit-il à trembler que le changeur ne voulût jamais lui donner de l'or si réel contre son médaillon. Il se crut donc forcé, quoique ce fût une perte de temps, de prendre des périphrases et des circonlocutions pour en arriver à ce qu'il voulait, d'autant plus que ce n'était pas une affaire qu'il venait proposer, mais un service qu'il venait demander à ce changeur.

—Monsieur, lui dit-il, c'est moi qui, tout à l'heure, suis venu changer des thalers pour de l'or.

—Oui, monsieur, je vous reconnais, fit le changeur.

—Vous êtes allemand, monsieur?

—Je suis d'Heidelberg.

—C'est là que j'ai fait mes études.

—Quelle charmante ville!

—En effet.

Pendant ce temps, le sang d'Hoffmann bouillait. Il lui semblait que chaque minute qu'il donnait à cette conversation banale était une année de sa vie qu'il perdait.

Il reprit donc en souriant:

—J'ai pensé qu'à titre de compatriote vous voudriez bien me rendre un service.

—Lequel? demanda le changeur, dont la figure se rembrunit à ce mot.

Le changeur n'est pas plus prêteur que la fourmi.

—C'est de me prêter trois louis sur ce médaillon d'or.

En même temps, Hoffmann passait le médaillon au commerçant, qui, le mettant dans une balance, le pesa:

—N'aimeriez-vous pas mieux le vendre? demanda le changeur.

—Oh! non, s'écria Hoffmann; non, c'est déjà bien assez de l'engager; je vous prierai même, monsieur, si vous me rendez ce service, de vouloir bien me garder ce médaillon avec le plus grand soin, car j'y tiens plus qu'à ma vie, et je viendrai le reprendre dès demain: il faut une circonstance comme celle où je me trouve pour que je l'engage.

—Alors, je vais vous prêter trois louis, monsieur. Et le changeur, avec toute la gravité qu'il croyait devoir à une pareille action, prit trois louis et les aligna devant Hoffmann.

—Oh! merci, monsieur, mille fois merci! s'écria le poète, et, s'emparant des trois pièces d'or, il disparut.

Le changeur reprit silencieusement sa lecture après avoir déposé le médaillon dans un coin de son tiroir.

Ce n'est pas à cet homme que fût venue l'idée d'aller risquer son or contre l'or du 113.

Le joueur est si près d'être sacrilège, qu'Hoffmann, en jetant sa première pièce d'or sur le n° 26, car il ne voulait les risquer qu'une à une, qu'Hoffmann, disons-nous, prononça le nom d'Antonia.

Tant que la bille tourna Hoffmann n'eut pas d'émotions; quelque chose lui disait qu'il allait gagner.

Le 26 sortit.

Hoffmann, rayonnant, ramassa trente-six louis.

La première chose qu'il fit fut d'en mettre trois à part dans le gousset de sa montre pour être sûr de pouvoir reprendre le médaillon de sa fiancée, au nom de laquelle il devait évidemment ce premier gain. Il laissa trente-trois louis sur le même numéro, et le même numéro sortit.

C'étaient donc trente-six fois trente-trois louis qu'il gagnait, c'est-à-dire onze cent quatre-vingt-huit louis, c'est-à-dire plus de vingt-cinq mille francs.

Alors Hoffmann, puisant à pleines mains dans le Pactole solide, et le prenant par poignées, joua au hasard, à travers un éblouissement sans fin. À chaque coup qu'il jouait, le monceau de son gain grossissait, semblable à une montagne sortant tout à coup de l'eau.

Il en avait dans ses poches, dans son habit, dans son gilet, dans son chapeau, dans ses mains, sur la table, partout enfin. L'or coulait devant lui de la main des croupiers comme le sang d'une large blessure. Il était devenu le Jupiter de toutes les Danaés présentes, et le caissier de tous les joueurs malheureux.

Il perdit bien ainsi une vingtaine de mille francs.

Enfin, ramassant tout l'or qu'il avait devant lui, quand il crut en avoir assez, il s'enfuit, laissant pleins d'admiration et d'envie tous ceux qui se trouvaient là, et courut dans la direction de la maison d'Arsène.

Il était une heure du matin, mais peu lui importait.

Venant avec une pareille somme, il lui semblait qu'il pouvait venir à toute heure de la nuit, et qu'il serait toujours le bienvenu.

Il se faisait une joie de couvrir de tout cet or ce beau corps qui s'était dévoilé devant lui, et qui, resté de marbre devant son amour, s'animerait devant sa richesse, comme la statue de Prométhée quand il eut trouvé son âme véritable.

Il allait entrer chez Arsène, vider ses poches jusqu'à la dernière pièce, et lui dire: «Maintenant, aimez-moi.» Puis le lendemain, il repartirait, pour échapper, si cela était possible, au souvenir de ce rêve fiévreux et intense.

Il frappa à la porte d'Arsène comme un maître qui rentre chez lui.

La porte s'ouvrit.

Hoffmann courut vers le perron de l'escalier.

—Qui est là? cria la voix du portier.

Hoffmann ne répondit pas.

—Où allez-vous, citoyen? répéta la même voix, et une ombre, vêtue comme les ombres le sont la nuit, sortit de la loge et courut après Hoffmann.

En ce temps on aimait fort à savoir qui sortait et surtout qui entrait.

—Je vais chez Mlle Arsène, répondit Hoffmann en jetant au portier trois ou quatre louis pour lesquels une heure plus tôt il eût donné son âme.

Cette façon de s'exprimer plut à l'officieux.

—Mademoiselle Arsène n'est plus ici, monsieur, répondit-il, pensant avec raison qu'on devait substituer le mot citoyen quand on avait affaire à un homme qui avait la main si facile.

Un homme qui demande peut dire: Citoyen, mais un homme qui reçoit ne peut dire que: Monsieur.

—Comment! s'écria Hoffmann, Arsène n'est plus ici.

—Non, monsieur.

—Vous voulez dire qu'elle n'est pas rentrée ce soir?

—Je veux dire qu'elle ne rentrera plus.

—Où est-elle, alors?

—Je n'en sais rien.

—Mon Dieu! mon Dieu! fit Hoffmann; et il prit sa tête dans ses deux mains comme pour contenir sa raison près de lui échapper.

Tout ce qui lui arrivait depuis quelque temps était si étrange qu'à chaque instant il disait: «Allons, voilà le moment où je vais devenir fou!»

—Vous ne savez donc pas la nouvelle? reprit le portier.

—Quelle nouvelle?

—M. Danton a été arrêté.

—Quand?

—Hier. C'est M. Robespierre qui a fait cela. Quel grand homme que le citoyen Robespierre!

—Eh bien!

—Eh bien! Melle Arsène a été forcée de se sauver; car, comme maîtresse de Danton, elle aurait pu être compromise dans toute cette affaire.

—C'est juste. Mais comment s'est-elle sauvée?

—Comme on se sauve quand on a peur d'avoir le cou coupé: tout droit devant soi.

—Merci, mon ami, merci, fit Hoffmann, et il disparut après avoir encore laissé quelques pièces dans la main du portier.

Quand il fut dans la rue, Hoffmann se demanda ce qu'il allait devenir, et à quoi allait maintenant lui servir tout son or; car, comme on le pense bien, l'idée qu'il pourrait retrouver Arsène ne lui vint pas à l'esprit, pas plus que l'idée de rentrer chez lui et de prendre du repos.

Il se mit donc, lui aussi, à marcher tout droit devant lui, faisant résonner le pavé des rues mornes sous le talon de ses bottes, et marchant tout éveillé dans son rêve douloureux.

La nuit était froide, les arbres étaient décharnés et tremblaient au vent de la nuit, comme des malades en délire qui ont quitté leur lit et dont la fièvre agite les membres amaigris.

Le givre fouettait le visage des promeneurs nocturnes, et à peine si, de temps en temps, dans les maisons qui confondaient leur masse avec le ciel sombre, une fenêtre éclairée trouait l'ombre.

Cependant cet air froid lui faisait du bien. Son âme se dépensait peu à peu dans cette course rapide, et, si l'on peut s'exprimer ainsi, son effervescence morale se volatilisait. Dans une chambre il eût étouffé; puis, à force d'aller en avant, il rencontrerait peut-être Arsène; qui sait? En se sauvant, elle avait peut-être pris le même chemin que lui en sortant de chez elle.

Il longea ainsi le boulevard désert, traversa la rue Royale comme si, à défaut de ses yeux qui ne regardaient pas, ses pieds eussent reconnu d'eux-mêmes le lieu où il était; il leva la tête, et il s'arrêta en s'apercevant qu'il marchait droit vers la place de la Révolution, vers cette place où il avait juré de ne jamais revenir.

Tout sombre qu'était le ciel, une silhouette plus sombre encore se détachait sur l'horizon noir comme de l'encre. C'était la silhouette de la hideuse machine, dont le vent de la nuit séchait la bouche humide de sang, et qui dormait en attendant sa file quotidienne.

C'était pendant le jour qu'Hoffmann ne voulait plus revoir cette place; c'était à cause du sang qui y coulait qu'il ne voulait plus s'y trouver; mais, la nuit, ce n'était plus la même chose; il y avait pour le poète, chez qui, malgré tout, l'instinct poétique veillait sans cesse, il y avait de l'intérêt à voir, à toucher du doigt, dans le silence et dans l'ombre, le sinistre échafaudage dont l'image sanglante devait, à l'heure qu'il était, se présenter à bien des esprits.

Quel plus beau contraste, en sortant de la salle bruyante du jeu, que cette place déserte, et dont l'échafaud était l'hôte éternel, après le spectacle de la mort, de l'abandon, de l'insensibilité?

Hoffmann marchait donc vers la guillotine comme attiré par une force magnétique.

Tout à coup, et sans presque savoir comment cela s'était fait, il se trouva face à face avec elle.

Le vent sifflait dans les planches.

Hoffmann croisa ses mains sur sa poitrine et regarda.

Que de choses durent naître dans l'esprit de cet homme, qui, les poches pleines d'or, et comptant sur une nuit de volupté, passait solitairement cette nuit en face d'un échafaud!

Il lui sembla, au milieu de ses pensées, qu'une plainte humaine se mêlait aux plaintes du vent.

Il pencha la tête en avant et prêta l'oreille.

La plainte se renouvela, venant non pas de loin, mais de bas.

Hoffmann regarda autour de lui, et ne vit personne.

Cependant un troisième gémissement arriva jusqu'à lui.

—On dirait une voix de femme, murmura-t-il, et l'on dirait que cette voix sort de dessous cet échafaud.

Alors se baissant pour mieux voir, il commença à faire le tour de la guillotine. Comme il passait devant le terrible escalier, son pied heurta quelque chose; il étendit les mains et toucha un être accroupi sur les premières marches de cet escalier et tout vêtu de noir.

—Qui êtes-vous, demanda Hoffmann, vous qui dormez la nuit auprès d'un échafaud?

Et en même temps il s'agenouillait pour voir le visage de celle à qui il parlait.

Mais elle ne bougeait pas, et, les coudes appuyés sur les genoux, elle reposait sa tête sur ses mains.

Malgré le froid de la nuit, elle avait les épaules presque entièrement nues, et Hoffmann put voir une ligne noire qui cerclait son cou blanc.

Cette ligne, c'était un collier de velours.

—Arsène, cria-t-il.

—Eh bien! oui! Arsène! murmura d'une voix étrange la femme accroupie, en relevant la tête et regardant Hoffmann.

CHAPITRE XVII.

Un hôtel de la rue Saint-Honoré.

Hoffmann recula épouvanté; malgré la voix, malgré le visage, il doutait encore. Mais, en relevant la tête, Arsène laissa tomber ses mains sur ses genoux, et dégageant son col, ses mains laissèrent voir l'étrange agrafe de diamants qui réunissait les deux bouts du collier de velours et qui étincelait dans la nuit.

—Arsène! Arsène! répéta Hoffmann.

Arsène se leva.

—Que faites-vous ici, à cette heure? demanda le jeune homme. Comment! vêtue de cette robe grise! Comment! les épaules nues!

—Il a été arrêté hier, dit Arsène; on est venu pour m'arrêter moi-même, je me suis sauvée comme j'étais et cette nuit, à onze heures, trouvant ma chambre trop petite et mon lit trop froid, j'en suis sortie, et suis venue ici.

Ces paroles étaient dites avec un singulier accent, sans gestes, sans inflexions; elles sortaient d'une bouche pâlie qui s'ouvrait et se refermait comme par un ressort: on eût dit un automate qui parlait.

—Mais, s'écria Hoffmann, vous ne pouvez rester ici!

—Où irais-je? Je ne veux rentrer d'où je sors que le plus tard possible; j'ai eu trop froid.

—Alors, venez avec moi, s'écria Hoffmann.

—Avec vous! fit Arsène.

Et il sembla au jeune homme que de cet œil morne tombait sur lui, à la lueur des étoiles, un regard dédaigneux, pareil à celui dont il avait déjà été écrasé dans le charmant boudoir de la rue de Hanovre.

—Je suis riche, j'ai de l'or, s'écria Hoffmann.

L'œil de la danseuse jeta un éclair.

—Allons, dit-elle, mais où?

—Où!

En effet, où Hoffmann allait-il conduire cette femme de luxe et de sensualité qui, une fois sortie des palais magiques et des jardins enchantés de l'Opéra, était habituée à fouler les tapis de Perse et à se rouler dans les cachemires de l'Inde?

Certes, ce n'était pas dans sa petite chambre d'étudiant qu'il pouvait la conduire; elle eût été là aussi à l'étroit et aussi froidement que dans cette demeure inconnue dont elle parlait tout à l'heure, et où elle paraissait craindre si fort de rentrer.

—Où, en effet? demanda Hoffmann, je ne connais point Paris.

—Je vais vous conduire, dit Arsène.

—Oh! oui, oui, s'écria Hoffmann.

—Suivez-moi, dit la jeune femme.

Et de cette même démarche raide et automatique qui n'avait rien de commun avec cette souplesse ravissante qu'Hoffmann avait admirée dans la danseuse, elle se mit à marcher devant lui.

Il ne vint pas l'idée au jeune homme de lui offrir le bras; il la suivit.

Arsène prit la rue Royale, que l'on appelait à cette époque la rue de la Révolution, tourna à droite, dans la rue Saint-Honoré, que l'on appelait rue Honoré tout court, et s'arrêtant devant la façade d'un magnifique hôtel, elle frappa.

La porte s'ouvrit aussitôt.

Le concierge regarda avec étonnement Arsène.

—Parlez, dit-elle au jeune homme, ou ils ne me laisseront pas entrer, et je serai obligée de retourner m'asseoir au pied de la guillotine.

—Mon ami, dit vivement Hoffmann en passant entre la jeune femme et le concierge, comme je traversais les Champs-Élysées, j'ai entendu crier au secours; je suis accouru à temps pour empêcher Madame d'être assassinée, mais trop tard pour l'empêcher d'être dépouillée. Donnez-moi vite votre meilleure chambre; faites-y allumer un grand feu, servir un bon souper. Voici un louis pour vous.

Et il jeta un louis d'or sur la table où était posée la lampe, dont tous les rayons semblèrent se concentrer sur la face étincelante de Louis XV.

Un louis était une grosse somme à cette époque; il représentait neuf cent vingt-cinq francs en assignats.

Le concierge ôta son bonnet crasseux et sonna. Un garçon accourut à cette sonnette du concierge.

—Vite! vite! une chambre! la plus belle de l'hôtel, pour Monsieur et Madame.

—Pour Monsieur et Madame, reprit le garçon, étonné, en portant alternativement son regard du costume plus que simple d'Hoffmann, au costume plus que léger d'Arsène.

—Oui, dit Hoffmann, la meilleure, la plus belle; surtout qu'elle soit bien chauffée et bien éclairée: voici un louis pour vous.

Le garçon parut subir la même influence que le concierge, se courba devant le louis, et montrant un grand escalier, à moitié éclairé seulement à cause de l'heure avancée de la nuit, mais sur les marches duquel, par un luxe bien extraordinaire à cette époque, était étendu un tapis.

—Montez, dit-il, et attendez à la porte du n° 3.

Puis il disparut tout courant.

À la première marche de l'escalier, Arsène s'arrêta.

Elle semblait, la légère sylphide, éprouver une difficulté invincible à lever le pied.

On eût dit que sa légère chaussure de satin avait des semelles de plomb.

Hoffmann lui offrit le bras.

Arsène appuya sa main sur le bras que lui présentait le jeune homme, et quoiqu'il ne sentît pas la pression du poignet de la danseuse, il sentit le froid qui se communiquait de ce corps au sien.

Puis, avec un effort violent, Arsène monta la première marche et successivement les autres; mais chaque degré lui arrachait un soupir.

—Oh! pauvre femme, murmura Hoffmann, comme vous avez dû souffrir!

—Oui, oui, répondit Arsène, beaucoup.... J'ai beaucoup souffert.

Ils arrivèrent à la porte du n° 3.

Mais, presque aussitôt qu'eux arriva le garçon porteur d'un véritable brasier; il ouvrit la porte de la chambre, et en un instant la cheminée s'enflamma et les bougies s'allumèrent.

—Vous devez avoir faim? demanda Hoffmann.

—Je ne sais pas, répondit Arsène.

—Le meilleur souper que l'on pourra nous donner, garçon, dit Hoffmann.

—Monsieur, fit observer le garçon, on ne dit plus garçon, mais officieux. Après cela, Monsieur paye si bien qu'il peut dire comme il voudra.

Puis, enchanté de la facétie, il sortit en disant:

—Dans cinq minutes le souper!

La porte refermée derrière l'officieux, Hoffmann jeta avidement les yeux sur Arsène.

Elle était si pressée de se rapprocher du feu, qu'elle n'avait pas pris le temps de tirer un fauteuil près de la cheminée; elle s'était seulement accroupie au coin de l'âtre, dans la même position où Hoffmann l'avait trouvée devant la guillotine, et là, les coudes sur ses genoux, elle semblait occupée à maintenir de ses deux mains sa tête droite sur ses épaules.

—Arsène! Arsène! dit le jeune homme, je t'ai dit que j'étais riche, n'est-ce pas? Regarde, et tu verras que je ne t'ai pas menti.

Hoffmann commença par retourner son chapeau au-dessus de la table; le chapeau était plein de louis et de doubles louis, et ils ruisselèrent du chapeau sur le marbre, avec ce bruit d'or si remarquable et si facile à distinguer entre tous les bruits.

Puis, après le chapeau, il vida ses poches, et l'une après l'autre ses poches dégorgèrent l'immense butin qu'il venait de faire au jeu.

Un monceau d'or mobile et resplendissant s'entassa sur la table.

À ce bruit, Arsène sembla se ranimer; elle tourna la tête, et la vue parut achever la résurrection commencée par l'ouïe.

Elle se leva, toujours raide et immobile; mais sa lèvre pâle souriait, mais ses yeux vitreux, s'éclaircissant, lançaient des rayons qui se croisaient avec ceux de l'or.

—Oh! dit-elle, c'est à toi tout cela?

—Non, pas à moi, mais à toi, Arsène.

—À moi! fit la danseuse.

Et elle plongea dans le monceau de métal ses mains pâles.

Les bras de la jeune fille disparurent jusqu'au coude.

Alors cette femme, dont l'or avait été la vie, sembla reprendre vie au contact de l'or.

—À moi! disait-elle, à moi! et elle prononçait ces paroles d'un accent vibrant et métallique qui se mariait d'une incroyable façon avec le cliquetis des louis.

Deux garçons entrèrent, portant une table toute servie, qu'ils faillirent laisser tomber en apercevant cet amas de richesses que pétrissaient les mains crispées de la jeune fille.

—C'est bien, dit Hoffmann, du vin de Champagne, et laissez-nous.

Les garçons apportèrent plusieurs bouteilles de vin de Champagne, et se retirèrent.

Derrière eux, Hoffmann alla pousser la porte, qu'il ferma au verrou.

Puis, les yeux ardents de désir, il revint vers Arsène, qu'il retrouva près de la table, continuant de puiser la vie, non pas à cette fontaine de Jouvence, mais à cette source du Pactole.

—Eh bien? lui demanda-t-il.

—C'est beau, l'or! dit-elle; il y avait longtemps que je n'en avais touché.

—Allons, viens souper, fit Hoffmann, et puis après, tout à ton aise, Danaé, tu te baigneras dans l'or si tu veux.

Et il l'entraîna vers la table.

—J'ai froid! dit-elle.

Hoffmann regarda autour de lui; les fenêtres et le lit étaient tendus en damas rouge: il arracha un rideau de la fenêtre et le donna à Arsène.

Arsène s'enveloppa dans le rideau, qui sembla se draper de lui-même comme les plis d'un manteau antique, et sous cette draperie rouge sa tête pâle redoubla de caractère.

Hoffmann avait presque peur.

Il se mit à table, se versa et but deux ou trois verres de vin de Champagne coup sur coup. Alors il lui sembla qu'une légère coloration montait aux yeux d'Arsène.

Il lui versa à son tour, et à son tour elle but.

Puis il voulut la faire manger; mais elle refusa.

Et comme Hoffmann insistait:

—Je ne pourrais avaler, dit-elle.

—Buvons, alors.

Elle tendit son verre.

—Oui, buvons.

Hoffmann avait à la fois faim et soif; il but et mangea.

Il but surtout; il sentait qu'il avait besoin de hardiesse; non pas qu'Arsène, comme chez elle, parût disposée à lui résister, soit par la force, soit par le dédain, mais parce que quelque chose de glacé émanait du corps de la belle convive.

À mesure qu'il buvait, à ses yeux du moins, Arsène s'animait; seulement, quand, à son tour, Arsène vidait son verre, quelques gouttes rosées roulaient de la partie inférieure du collier de velours sur la poitrine de la danseuse. Hoffmann regardait sans comprendre puis, sentant quelque chose de terrible et de mystérieux là-dessous, il combattit ses frissons intérieurs en multipliant les toasts qu'il portait aux beaux yeux, à la belle bouche, aux belles mains de la danseuse.

Elle lui faisait raison, buvant autant que lui, et paraissant s'animer, non pas du vin qu'elle buvait, mais du vin que buvait Hoffmann.

Tout à coup un tison roula du feu.

Hoffmann suivit des yeux la direction du brandon de flamme, qui ne s'arrêta qu'en rencontrant le pied nu d'Arsène.

Sans doute, pour se réchauffer, Arsène avait tiré ses bas et ses souliers; son petit pied, blanc comme le marbre, était posé sur le marbre de l'âtre, blanc aussi comme le pied avec lequel il semblait ne faire qu'un.

Hoffmann jeta un cri.

—Arsène! Arsène! dit-il, prenez garde!

—À quoi? demanda la danseuse.

—Ce tison... ce tison qui touche votre pied....

Et en effet, il couvrait à moitié le pied d'Arsène.

—Ôtez-le, dit-elle tranquillement.

Hoffmann se baissa, enleva le tison, et s'aperçut avec effroi que ce n'était pas la braise qui avait brûlé le pied de la jeune fille, mais le pied de la jeune fille qui avait éteint la braise.

—Buvons! dit-il.

—Buvons! dit Arsène.

Et elle tendit son verre.

La seconde bouteille fut vidée.

Cependant Hoffmann sentait que l'ivresse du vin ne lui suffisait pas.

Il aperçut un piano.

—Bon!... s'écria-t-il.

Il avait compris la ressource que lui offrait l'ivresse de la musique.

Il s'élança vers le piano.

Puis sous ses doigts naquit tout naturellement l'air sur lequel Arsène dansait ce pas de trois dans l'opéra de *Pâris*, lorsqu'il l'avait vue pour la première fois.

Seulement, il semblait à Hoffmann que les cordes du piano étaient d'acier. L'instrument à lui seul rendait un bruit pareil à celui de tout un orchestre.

—Ah! fit Hoffmann, à la bonne heure!

Il venait de trouver dans ce bruit l'enivrement qu'il cherchait; de son côté, Arsène se leva aux premiers accords.

Ces accords, comme un réseau de feu, avaient semblé envelopper toute sa personne.

Elle rejeta loin d'elle le rideau de damas rouge, et, chose étrange, comme un changement magique s'opère au théâtre, sans que l'on sache par quel moyen, un changement s'était opéré en elle, et au lieu de sa robe grise, au lieu de ses épaules veuves d'ornements, elle reparut avec le costume de Flore, tout ruisselant de fleurs, tout vaporeux de gaze, tout frissonnant de volupté.

Hoffmann jeta un cri, puis, redoublant d'énergie, il sembla faire jaillir une vigueur infernale de cette poitrine du clavecin, toute résonnante sous ses fibres d'acier.

Alors le même mirage revint troubler l'esprit d'Hoffmann. Cette femme bondissante, qui s'était animée par degrés, opérait sur lui avec une attraction irrésistible. Elle avait pris pour théâtre tout l'espace qui séparait le piano de l'alcôve, et, sur le fond rouge du rideau, elle se détachait comme une apparition de l'enfer. Chaque fois qu'elle revenait du fond vers Hoffmann, Hoffmann se soulevait sur sa chaise; chaque fois qu'elle s'éloignait vers le fond, Hoffmann se sentait entraîné sur ses pas. Enfin, sans qu'Hoffmann comprît comment la chose se faisait, le mouvement changea sous ses doigts; ce ne fut plus l'air qu'il avait entendu qu'il joua, ce fut une valse; cette valse c'était le *Désir* de Beethoven; elle était venue, comme une expression de sa pensée, se placer sous ses doigts. De son côté, Arsène avait changé de mesure; elle tourna sur elle-même d'abord, puis, peu à peu élargissant le rond qu'elle traçait, elle se rapprocha d'Hoffmann. Hoffmann, haletant, la sentait venir, la sentait se rapprocher; il comprenait qu'au dernier cercle elle allait le toucher, et qu'alors force lui serait de se lever à son tour, et de prendre part à cette valse brûlante. C'était à la fois chez lui du désir et de l'effroi. Enfin Arsène, en passant, étendit la main, et du bout des doigts l'effleura. Hoffmann poussa un cri, bondit comme si l'étincelle électrique l'eût touché, s'élança sur la trace de la danseuse, la joignit, l'enlaça dans ses bras, continuant dans sa pensée l'air interrompu en réalité, pressant contre son cœur ce corps qui avait repris son élasticité, aspirant les regards de ses yeux, le souffle de sa bouche, dévorant de ses aspirations à lui ce cou, ces épaules, ces bras; tournant non plus dans un air respirable, mais dans une atmosphère de flamme qui, pénétrant jusqu'au fond de la poitrine des deux valseurs, finit par les jeter, haletants et dans l'évanouissement du délire, sur le lit qui les attendait.

Quand Hoffmann se réveilla le lendemain, un de ces jours blafards des hivers de Paris venait de se lever, et pénétrait jusqu'au lit par le rideau arraché de la fenêtre. Il regarda autour de lui, ignorant où il était, et sentit qu'une masse inerte pesait à son bras gauche. Il se pencha du côté où l'engourdissement gagnait son cœur, et reconnut, couchée près de lui, non plus la belle danseuse de l'Opéra, mais la pâle jeune fille de la place de la Révolution.

Alors il se rappela tout, tira de dessous ce corps raidi son bras glacé, et voyant que ce corps demeurait immobile, il saisit un candélabre où brûlaient encore cinq bougies, et, à la double lueur du jour et des bougies, il s'aperçut qu'Arsène était sans mouvement, pâle et les yeux fermés.

Sa première idée fut que la fatigue avait été plus forte que l'amour, que le désir, que la volonté, et que la jeune fille s'était évanouie. Il prit sa main, sa main était glacée; il chercha les battements de son cœur, son cœur ne battait plus.

Alors une idée horrible lui traversa l'esprit; il se pendit au cordon d'une sonnette, qui se rompit entre ses mains, puis s'élança vers la porte, il ouvrit, et se précipita par les degrés en criant:

—À l'aide! au secours!

Un petit homme noir montait justement à la même minute l'escalier que descendait Hoffmann. Il leva la tête; Hoffmann jeta un cri. Il venait de reconnaître le médecin de l'Opéra.

—Ah! c'est vous, mon cher monsieur, dit le docteur en reconnaissant Hoffmann à son tour; qu'y a-t-il donc, et pourquoi tout ce bruit?

—Oh! venez, venez, dit Hoffmann ne prenant pas la peine d'expliquer au médecin ce qu'il attendait de lui, et espérant que la vue d'Arsène inanimée ferait plus sur le docteur que toutes ses paroles. Venez!

Et il l'entraîna dans la chambre.

Puis, le poussant vers le lit, tandis que de l'autre main, il saisissait le candélabre qu'il approcha du visage d'Arsène:

—Tenez, dit-il, voyez.

Mais, loin que le médecin parût effrayé:

—Ah! c'est bien à vous, jeune homme, dit-il, c'est bien à vous d'avoir racheté ce corps afin qu'il ne pourrît pas dans une fosse commune.... Très bien! jeune homme, très bien!

—Ce corps... murmura Hoffmann, racheté... la fosse commune.... Que dites-vous là? mon Dieu!

—Je dis que notre pauvre Arsène, arrêtée hier à huit heures du matin, a été jugée hier à deux heures de l'après-midi, et a été exécutée hier à quatre heures du soir.

Hoffmann crut qu'il allait devenir fou; il saisit le docteur à la gorge.

—Exécutée hier à quatre heures! cria-t-il en s'étranglant lui-même; Arsène exécutée!

Et il éclata de rire, mais d'un rire si étrange, si strident, si en dehors de toutes les modulations du rire humain, que le docteur fixa sur lui des yeux presque effarés.

—En doutez-vous? demanda-t-il.

—Comment! s'écria Hoffmann, si j'en doute! Je le crois bien. J'ai soupé, j'ai valsé, j'ai couché cette nuit avec elle.

—Alors, c'est un cas étrange et que je consignerai dans les annales de la médecine, dit le docteur, et vous signerez au procès-verbal, n'est-ce pas?

—Mais je ne puis signer, puisque je vous démens, puisque je dis que cela est impossible, puisque je dis que cela n'est pas.

—Ah! vous dites que cela n'est pas, reprit le docteur; vous dites cela à moi, le médecin des prisons; à moi, qui ai fait tout ce que j'ai pu pour la sauver, et qui n'ai pu y parvenir; à moi qui lui ai dit adieu au pied de la charrette! Vous dites que cela n'est pas! Attendez!

Alors le médecin étendit le bras, pressa le petit ressort en diamant qui servait d'agrafe au collier de velours, et tira le velours à lui.

Hoffmann poussa un cri terrible. Cessant d'être maintenue par le seul lien qui la rattachait aux épaules, la tête de la suppliciée roula du lit à terre, et ne s'arrêta qu'au soulier d'Hoffmann, comme le tison ne s'était arrêté qu'au pied d'Arsène.

Le jeune homme fit un bond en arrière, et se précipita par les escaliers en hurlant:

—Je suis fou!

L'exclamation d'Hoffmann n'avait rien d'exagéré: cette faible cloison qui, chez le poète exerçant outre mesure ses facultés cérébrales, cette faible cloison, disons-nous, qui, séparant l'imagination de la folie, semble parfois prête à se rompre, craquait dans sa tête avec le bruit d'une muraille qui se lézarde.

Mais, à cette époque, on ne courait pas longtemps dans les rues de Paris sans dire pourquoi l'on courait; les Parisiens étaient devenus très curieux en l'an de grâce 1793; et, toutes les fois qu'un homme passait en courant, on arrêtait cet homme pour savoir après qui il courait ou qui courait après lui. On arrêta donc Hoffmann en face de l'église de l'Assomption, dont on avait fait un corps de garde, et on le conduisit devant le chef du poste.

Là, Hoffmann comprit le danger réel qu'il courait: les uns le tenaient pour un aristocrate prenant sa course afin de gagner plus vite la frontière; les autres criaient: *À l'agent de Pitt et Cobourg!* Quelques-uns criaient: *À la lanterne!* ce qui n'était pas gai; d'autres criaient: *Au tribunal révolutionnaire!* ce qui était moins gai encore. On revenait quelquefois de la lanterne, témoin l'abbé Maury; du tribunal révolutionnaire, jamais.

Alors Hoffmann essaya d'expliquer ce qui lui était arrivé depuis la veille au soir. Il raconta le jeu, le gain. Comment, de l'or plein ses poches, il avait couru rue de Hanovre; comment la femme qu'il cherchait n'y était plus; comment, sous l'empire de la passion qui le brûlait, il avait couru les rues de Paris; comment, en passant sur la place de la Révolution, il avait trouvé cette femme assise au pied de la guillotine; comment elle l'avait conduit dans un hôtel de la rue Saint-Honoré, et comment là, après une nuit pendant laquelle tous les enivrements s'étaient succédé, il avait trouvé non seulement reposant entre ses bras une femme morte, mais encore une femme décapitée.

Tout cela était bien improbable; aussi le récit d'Hoffmann obtint-il peu de croyance: les plus fanatiques de vérité crièrent au mensonge, les plus modérés crièrent à la folie.

Sur ces entrefaites, un des assistants ouvrit cet avis lumineux:

—Vous avez passé, dites-vous, la nuit dans un hôtel de la rue Saint-Honoré?

—Oui.

—Vous y avez vidé vos poches pleines d'or sur une table?

—Oui.

—Vous y avez couché et soupé avec la femme dont la tête, roulant à vos pieds, vous a causé ce grand effroi dont vous étiez atteint quand nous vous avons arrêté?

—Oui.

—Eh bien! cherchons l'hôtel; on ne trouvera peut-être plus l'or, mais on trouvera la femme.

—Oui, cria tout le monde, cherchons, cherchons!

Hoffmann eût bien voulu ne pas chercher; mais force lui fut d'obéir à l'immense volonté résumée autour de lui par ce mot *cherchons.*

Il sortit donc de l'église, et continua de descendre la rue Saint-Honoré en cherchant.

La distance n'était pas longue de l'église de l'Assomption à la rue Royale. Et cependant Hoffmann eut beau chercher, négligemment d'abord, puis avec plus d'attention, puis enfin avec volonté de trouver, il ne trouva rien qui lui rappelât l'hôtel où il était entré la veille, où il avait passé la nuit, d'où il venait de sortir. Comme ces palais féeriques qui s'évanouissent quand le machiniste n'a plus besoin d'eux, l'hôtel de la rue Saint-Honoré avait disparu après que la scène infernale que nous avons essayé de décrire avait été jouée.

Tout cela ne faisait pas l'affaire des badauds qui avaient accompagné Hoffmann et qui voulaient absolument une solution quelconque à leur dérangement; or, cette solution ne pouvait être que la découverte du cadavre d'Arsène ou l'arrestation d'Hoffmann comme suspect.

Mais, comme on ne retrouvait pas le corps d'Arsène, il était fortement question d'arrêter Hoffmann, quand tout à coup celui-ci aperçut dans la rue le petit homme noir et l'appela à son secours, invoquant son témoignage sur la vérité du récit qu'il venait de faire.

La voix du médecin a toujours une grande autorité sur la foule. Celui-ci déclina sa profession, et on le laissa s'approcher d'Hoffmann.

—Ah! pauvre jeune homme! dit-il en lui prenant la main sous prétexte de lui tâter le pouls, mais en réalité, pour lui conseiller, par une pression particulière, de ne pas le démentir; pauvre jeune homme, il s'est donc échappé!

—Échappé d'où? échappé de quoi? s'écrièrent vingt voix toutes ensemble.

—Oui, échappé d'où? demanda Hoffmann, qui ne voulait pas accepter la voie de salut que lui offrait le docteur et qu'il regardait comme humiliante.

—Parbleu! dit le médecin, échappé de l'hospice.

—De l'hospice! s'écrièrent les mêmes voix, et quel hospice?

—De l'hospice des fous!

—Ah! docteur, docteur, s'écria Hoffmann, pas de plaisanterie!

—Le pauvre diable! s'écria le docteur sans paraître écouter Hoffmann, le pauvre diable aura perdu sur l'échafaud quelque femme qu'il aimait.

—Oh! oui, oui, dit Hoffmann, je l'aimais bien, mais pas comme Antonia cependant.

—Pauvre garçon! dirent plusieurs femmes qui se trouvaient là et qui commençaient à plaindre Hoffmann.

—Oui, depuis ce temps, continua le docteur, il est en proie à une hallucination terrible; il croit jouer... il croit gagner.... Quand il a joué et qu'il a gagné, il croit pouvoir posséder celle qu'il aime; puis, avec son or, il court les rues; puis il rencontre une femme au pied de la guillotine, puis il l'emmène dans quelque magnifique palais, dans quelque splendide hôtellerie, où il passe la nuit à boire, à chanter, à faire de la musique avec elle; après quoi il la trouve morte. N'est-ce pas cela qu'il vous a raconté?

—Oui, oui, cria la foule, mot pour mot.

—Eh bien! eh bien! dit Hoffmann, le regard étincelant, direz-vous que ce n'est pas vrai, vous, docteur? vous qui avez ouvert l'agrafe de diamants qui fermait le collier de velours. Oh! j'aurais dû me douter de quelque chose quand j'ai vu le vin de Champagne suinter sous le collier, quand j'ai vu le tison enflammé rouler sur son pied nu, et son pied nu, son pied de morte, au lieu d'être brûlé par le tison, l'éteindre.

—Vous voyez, vous voyez, dit le docteur avec des yeux pleins de pitié et avec une voix lamentable, voilà sa folie qui le reprend.

—Comment, ma folie! s'écria Hoffmann; comment, vous osez dire que ce n'est pas vrai! vous osez dire que ce n'est pas vrai! vous osez dire que je n'ai pas passé la nuit avec Arsène qui a été guillotinée hier! Vous osez dire que son collier de velours n'était pas la seule chose qui maintînt sa tête sur ses épaules! Vous osez dire que, lorsque vous avez ouvert l'agrafe et enlevé le collier, la tête n'a pas roulé sur le tapis! Allons donc, docteur, allons donc, vous savez bien que ce que je dis est vrai, vous.

—Mes amis, dit le docteur, vous êtes bien convaincus maintenant, n'est-ce pas?

—Oui, oui, crièrent les cent voix de la foule.

Ceux des assistants qui ne criaient pas remuaient mélancoliquement la tête en signe d'adhésion.

—Eh bien! alors, dit le docteur, faites avancer un fiacre, afin que je le reconduise.

—Où cela? cria Hoffmann; où voulez-vous me reconduire?

—Où? dit le docteur, à la maison des fous, dont vous vous êtes échappé, mon bon ami.

Puis, tout bas:

—Laissez-vous faire, morbleu! dit le docteur, ou je ne réponds pas de vous. Ces gens-là croiront que vous vous êtes moqué d'eux, et ils vous mettront en pièces.

Hoffmann poussa un soupir et laissa tomber ses bras.

—Tenez, vous voyez bien, dit le docteur, maintenant le voilà doux comme un agneau. La crise est passée.... Là! mon ami, là!...

Et le docteur parut calmer Hoffmann de la main, comme on calme un cheval emporté ou un chien rageur.

Pendant ce temps, on avait arrêté un fiacre et on l'avait amené.

—Montez vite, dit le médecin à Hoffmann.

Hoffmann obéit; toutes ses forces s'étaient usées dans cette lutte.

—À Bicêtre! dit tout haut le docteur en montant derrière Hoffmann.

Puis, tout bas au jeune homme:

—Où voulez-vous qu'on vous descende? demanda-t-il.

—Au Palais-Égalité, articula péniblement Hoffmann.

—En route, cocher, cria le docteur.

Puis il salua la foule.

—Vive le docteur! cria la foule.

Il faut toujours que la foule, lorsqu'elle est sous l'empire d'une passion, crie vive quelqu'un ou meure quelqu'un.

Au Palais-Égalité le docteur fit arrêter le fiacre.

—Adieu, jeune homme, dit le docteur à Hoffmann, et si vous m'en croyez, partez pour l'Allemagne le plus vite possible; il ne fait pas bon en France pour les hommes qui ont une imagination comme la vôtre.

Et il poussa hors du fiacre Hoffmann, qui, tout abasourdi encore de ce qui venait de lui arriver, s'en allait tout droit sous une charrette qui faisait chemin en sens inverse du fiacre, si un jeune homme qui passait ne se fût précipité et n'eût retenu Hoffmann dans ses bras au moment où, de son côté, le charretier faisait un effort pour arrêter ses chevaux.

Le fiacre continua son chemin.

Les deux jeunes gens, celui qui avait failli tomber et celui qui l'avait retenu, poussèrent ensemble un seul et même cri:

—Hoffmann!

—Werner!

Puis, voyant l'état d'atonie dans lequel se trouvait son ami, Werner l'entraîna dans le jardin du Palais-Royal.

Alors la pensée de tout ce qui s'était passé revint plus vive au souvenir d'Hoffmann, et il se rappela le médaillon d'Antonia mis en gage chez le changeur allemand.

Aussitôt il poussa un cri en songeant qu'il avait vidé toutes ses poches sur la table de marbre de l'hôtel. Mais en même temps il se souvint qu'il avait mis, pour le dégager, trois louis à part dans le gousset de sa montre.

Le gousset avait fidèlement gardé son dépôt; les trois louis y étaient toujours.

Hoffmann s'échappa des bras de Werner en lui criant: Attends-moi! et s'élança dans la direction de la boutique du changeur.

À chaque pas qu'il faisait, il lui semblait, sortant d'une vapeur épaisse, s'avancer, à travers un nuage toujours s'éclaircissant, vers une atmosphère pure et resplendissante.

À la porte du changeur, il s'arrêta pour respirer; l'ancienne vision, la vision de la nuit avait presque disparu.

Il reprit haleine un instant et entra.

Le changeur était à sa place, les sébiles en cuivre étaient à leur place.

Au bruit que fit Hoffmann en entrant, le changeur leva la tête.

—Ah! ah! dit-il, c'est vous, mon jeune compatriote; ma foi! je vous l'avoue, je ne comptais pas vous revoir.

—Je présume que vous ne me dites pas cela parce que vous avez disposé du médaillon! s'écria Hoffmann.

—Non, je vous avais promis de vous le garder, et, m'en eût on donné vingt-cinq louis, au lieu des trois que vous me devez, le médaillon ne serait pas sorti de ma boutique.

—Voici les trois louis, dit timidement Hoffmann; mais je vous avoue que je n'ai rien à vous offrir pour les intérêts.

—Pour les intérêts d'une nuit, dit le changeur, allons donc, vous voulez rire; les intérêts de trois louis pour une nuit, et à un compatriote! jamais.

Et il lui rendit le médaillon.

—Merci, monsieur, dit Hoffmann; et maintenant, continua-t-il avec un soupir, je vais chercher de l'argent pour retourner à Mannheim.

—À Mannheim, dit le changeur, tiens, vous êtes de Mannheim?

—Non, monsieur, je ne suis pas de Mannheim, mais j'habite Mannheim: ma fiancée est à Mannheim; elle m'attend, et je retourne à Mannheim pour l'épouser.

—Ah! fit le changeur.

Puis, comme le jeune homme avait déjà la main sur le bouton de la porte:

—Connaissez-vous, dit le changeur, à Mannheim, un ancien ami à moi, un vieux musicien?

—Nommé Gottlieb Murr? s'écria Hoffmann.

—Justement! Vous le connaissez?

—Si je le connais! je le crois bien, puisque c'est sa fille qui est ma fiancée.

—Antonia! s'écria à son tour le changeur.

—Oui, Antonia, répondit Hoffmann.

—Comment, jeune homme! c'est pour épouser Antonia que vous retourniez à Mannheim?

—Sans doute.

—Restez à Paris, alors, car vous feriez un voyage inutile.

—Pourquoi cela?

—Parce que voilà une lettre de son père qui m'annonce qu'il y a huit jours, à trois heures de l'après-midi, Antonia est morte subitement en jouant de la harpe.

C'était juste le jour où Hoffmann était allé chez Arsène pour faire son portrait; c'était juste l'heure où il avait pressé de ses lèvres son épaule nue.

Hoffmann, pâle, tremblant, anéanti, ouvrit le médaillon pour porter l'image d'Antonia à ses lèvres, mais l'ivoire en était redevenu aussi blanc et aussi pur que s'il était vierge encore du pinceau de l'artiste.

Il ne restait rien d'Antonia à Hoffmann deux fois infidèle à son serment, pas même l'image de celle à qui il avait juré un amour éternel.

Deux heures après, Hoffmann, accompagné de Werner et du bon changeur, montait dans la voiture de Mannheim, où il arriva juste pour accompagner au cimetière le corps de Gottlieb Murr, qui avait recommandé en mourant qu'on l'enterrât côte à côte de sa chère Antonia.

Milton Keynes UK
Ingram Content Group UK Ltd.
UKHW050835180923
428890UK00009B/426

9 791041 836208